又一個時代

又一個時代

陳冠中 著

目錄

名家推薦

我常常覺得，香港的水土，培養出陳冠中這樣的作家，是我們的福氣。冠中的文章，總是能將時代把握在思想之中，讓我們看到時代的脈絡和精神，以及活在時代中應該要有的善良和睿智。冠中的文字，值得我們慢慢閱讀，細細思考。

——周保松

陳冠中最香港。談文論藝，經常出現的場面是一輪盤點過後，總有人說香港「幸好」還有陳冠中。近二十年來他不住香港然而從不缺席，隔年總按時交出他的作品，作品總是首先在香港出版。寫《盛世》，是香港人的中國；寫《建豐二年》，是香港人的民國；寫《北京零公里》，是維園燭光照見的廣場。然而，這本書他不再在香港出版了。

依舊敏銳過人，盛世事後，進入又一個時代了一一告別冷戰，正面對決，張愛玲說還有更大的破壞到來，陳冠中也說在劫難逃。有如本雅明（Walter

Benjamin）筆下保羅·克利（Paul Klee）的「新天使」，當然不敢期許真有一個全能的彌賽亞，但是在他的筆下你能感受到微弱的彌賽亞的力量。

——林道群

我從不錯過陳冠中的任何一部著作。小說，議論，隨筆。談世事與人情，論大局與細節，他看人看事看書總有獨特的視角，當然跟他的生活經驗有關。香港，臺北，北京，美國。加上廣泛的閱讀趣味與深刻的思考明辨，最後是，在我心裡，陳冠中，人間最清醒。《又一個時代》，又一個明證。

——馬家輝

不再是見樹就是林的時代了，正如樹葉落了也未必是秋天了，因為落葉已然沒有故事，要靠陳冠中巧妙的辯證展示歸根的悲喜。時代從來很難偉大；偉大的從來是時代巨輪下塵土的覺悟和沙石的深情。於是，陳冠中這本文集泰然點破我們的時代只是《又一個時代》。

——董橋

下一代國際香港人：世界是屬於你們的（推薦序）

——沈旭暉（香港國際關係學者，現居臺灣）

經常和朋友說，陳冠中先生是一位一生充滿張力的前輩。他的小說、散文和政論無不以香港為支點，無論是《我這一代香港人》的情懷、還是《建豐二年》的架空歷史；他本人卻選擇長期居於北京，即使在政治越來越高壓的時代，亦復如是。在文化界，他是殿堂級的存在，本來大可不必蹚政治的渾水，他卻認真研究中國「天朝主義」將如何處理香港，現在已經成了末世預言書。在近年香港興起的本土派眼中，他是一個「大中華膠」；但在今日主旋律的中國大陸，則將他視為「大香港主義者」。

這些張力，本來就是香港的根本身份認同所在。

《又一個時代》雖然是陳冠中近年的不同文章、演講結集，並非圍繞系統性的單一主題而成，但此時此刻讀起來，卻令人意外感到一股割裂中的連貫性，不妨看作《我這一代香港人》後傳。

不少人認為，香港到了今時今日模樣，一切昔日精采之處空餘追憶，日後在地理香港，也很難再出現陳冠中那樣的跨界別文化人；某程度上，我也是這樣想的。陳冠中並沒有明確告知他的判斷，但從他通過講述劉香成從左派家庭走到國際舞臺的香港故事，慨嘆「這個時代已經過去」，到回憶自己「三大啟蒙」的歲月，以披頭四訪港為文化覺醒，天星運動、六七暴動為政治覺醒，香港股市大升大跌為經濟覺醒，不難看見他其實非常肯定新一代的香港青年，同樣在短期內經歷了急速成長，而且比起上幾代的機遇和衝擊，有過之而無不及。對「又一個時代」的年輕人，我同樣深信比我們這一代和上一代都要優秀；假如上一代、這一代的香港人覺醒，可以創造出這麼多奇蹟，下一代的奇蹟，則是想也不敢想像。

《又一個時代》的不同文章、演講，並沒有正面談及怎樣在一個意識形態極端化的新環境，保持昔日香港的文化土壤；但從陳冠中近年的關注點可見，他的思想從來沒有迴避尋找答案。他觀察的最新中美衝突結構也好，念茲在茲的「科技奇點」也好，看似在談另一個範疇，其實殊途同歸，相信人工智能革命帶來的全新時代很快就出現，而在這個時代面前，目前的困局，都會讓路於更大的挑戰和機遇。關於香港與香港人的未來命運，他建議參考古今中外一大批自由港、城邦的故事，我想再結合到未來學的領域，隱隱約約，已經啟迪了一絲曙光。新一代香港人如果能夠傳承香港豐厚的文化底蘊，海納百川的大熔爐技能，再應用到未來世界，自然就會可以通過新科技，重構不同形態的香港。儘管現在大家都不知道那是甚麼型態，但前人何嘗又能未卜先知？

在本書最後一章《我與我的開蒙》，陳冠中答香港青年的問話，最值得此情此景的大家再三思量，以此作為全書導讀：

「我引用兩個心理學家的講話結束這次的談話，一個就是人文心理學家羅洛梅講的『人不會沒痛地成為完整的人』，另外一個是英國心理分析家 Adam Philips 說『要成為成熟的人有三種不可缺少的體驗，第一是要有討人厭的經驗，experience of being a nuisance，第二是要有感到迷失的經驗，of getting lost，第三是一種處於無力的狀態，of being powerless』，這三種經驗都有助於成長，有助於人的成熟。」

我不敢說讀懂陳冠中，但相信他會認同這句話：下一代國際香港人，世界是屬於你們的。

懷揣無數時代的陳冠中（編者序）

——鄧小樺（香港作家、文化評論人、本書編輯）

《又一個時代》收錄陳冠中近年的評論隨筆，包括書評、序言、演講稿、悼文等，話題出入國際政治、經濟、文學、藝術、電影、傳播、哲學等等，陳冠中演示他作為華文界重要知識份子的博學與精準判斷力，編織歷史與當下，出入中國、西方、香港、華語圈，永遠讓讀者面對更廣大的世界，並完成一種時代特有的辯證。

時間的操作，既新且舊

陳冠中的論述一貫清明理性，但又有一種微妙動人的感性，一如《又一個時代》這個書名，既是一覽眾山小的氣度，又是詩意的感嘆。世事豹變，陳冠中談拾歷史，也有感嘆：「不久以前還方興未艾的東西，曾幾何時一去不復還，時代倉促得讓人唏噓。」書中評論劉香成口述《世界不是這樣的》一文之題，「這個時代已經過去」，讓我想起在王家衛電影《花樣年華》裡出現過的句子：「那個時代已經過去。屬於那個時代的一切都不存在了。」句子本出自香港著名作家劉以鬯小說《對倒》。讓人咀嚼不盡的是，「這」與「那」一字之易——後者視物為遠，前者視物為近。陳冠中是將歷史與當下連結起來一併而談，讓遙遠的東西看來很近，很近的東西則有了新的觀看距離。像陳冠中引劉香成的說法，以前新聞記者的一張照片，可以在歷史上佔有很重要的位置，攝影者等於擁有了關於那段歷史的整個故事；但現在全世界每天誕生數以億計的照片，於是攝影者很難再擁有一個代表整段歷史的故事——原來當下我們最熟悉的生產模式，也可能為我們製造著不可測的距離。

論述亦是一種創作，一如小說那樣有著關於時間的操作。陳冠中的創意在於永遠能發現我們所未發現的歷史精粹，而且與當下最關心的話題作最巧妙的扣連，一如他自己在評論劉香成口述《世界不是這樣的》一書時引用普魯斯特所說的，

「真正的發現之旅不在於發現新景觀，而在於有新的眼光。」所以通過陳冠中筆端織紉，最遙遠的東西也與最當下相關，而他永遠能指出你所不知道的重要事情，並讓你覺得真的很重要。

虛則實之，實則虛之

陳冠中從來說到重點，從重要的東西開始說；本書摭拾近代史、思想史、藝術史、香港史等等，歷史自然是有重量的。不過讀者讀畢全書掩卷，卻應會感到一種輕盈快意，那是啟蒙後理解的舒暢，也是陳冠中特有的文風。像「中美大戰」這樣好像壓在全球華人頭頂的烏雲、連飯桌上都會談起的話題，陳冠中卻是以百多年來的相關惡托邦／科幻／未來／軍事等類型小說去談，這樣倒可繞過現實政治重重的陰影，看清了政治的操作與走向，我們的心靈或者也沒那麼容易被恐懼蠶食。

陳冠中近年精治小說，交出《盛世》、《裸命》、《建豐二年》、《北京零公里》等多本重要作品；他的評論與雜文則可作側面映照，看出虛構的文學，在陳冠中的心靈中，佔有近乎信念的重要位置。陳冠中所挪動的文學，由實入虛，反過來減輕了現實的重量，可以讓我們看清另一面的真實。識者可見，本書中有陳冠中深藏的論述心法：虛則實之，實則虛之。

陳冠中的烏有史小說《建豐二年》有一章專門關於中國哲學家張東蓀，設想張東蓀一九四九年後離開了中國大陸，隱居香港，可以與牟宗三共論哲學，完成他關於中國哲學思想的論述體系。本書中〈為甚麼要書寫張東蓀？——哲學家與當代中國的未竟之路〉一文原是為中國著名資深記者戴晴《在如來佛掌中：張東蓀和他的時代》一書的增訂版序言，可謂虛實相生。陳冠中特別關注一九四九年前張東蓀所倡議的政治主張，包括現在統稱為社會民主主義的自由主義，外交上主張「兼善美蘇」，經濟上主張福利式混合經驗的國家「發展主義」，政治上主張反內戰、主張憲政法治與多黨民主，以及保障各種民權包括表達自由。這種折衷調和的自由主義中間路線，在四五年抗戰勝利後到四六年初的全國政治協商會議前後，當時國民黨、共產黨、民主黨派和無黨派人士共同製訂了接近「中間路線」的「和平建國綱領」，當然最後事與願違。陳冠中反駁後來稱「第三條道路中間路線是注定走不通的」之說法，非常犀利。編者竊以為此文是本書最具顛覆性與挑戰性的一篇，讀者不容錯過。

虛則實之，實則虛之。「如果——有說歷史沒有如果，但歷史識見的建立卻離不開如果，否則只剩下上文說過的成王敗寇，何來歷史開示？」陳冠中這種跳脫的思維，讓我們面對積重難返的當代中國史時好像有了某種輕盈，同時具有顛覆性，顛覆我們的想像與習見，顛覆常識中的盲點。

陳冠中當然也有知識份子的老派憂慮，像〈講事實！〉一篇中用最簡潔扼要的方式去反對現時假新聞泛濫、虛無主義式「沒有真相」的說法，因為他秉持著新聞傳播系的傳統倫理。而在〈科技奇點、經濟奇點、制度拐點〉，我們一開始看到陳冠中以惡托邦科幻小說的方式去說明「壞的奇點」可以令文明毀滅，而首先就是AI將造成大量失業的經濟奇點，這本來是夠悲觀的；不過陳冠中提出這可能導向一個制度拐點，就是「全民基本收入保障」的福利制度之大膽討論，即類似全民無條件派錢。但陳冠中稱這是一個可能讓左右達成共識，並令人生活質素真正改善的出路。在推論過程中陳冠中旁徵博引且充滿想像力，像他自己形容的，

「引經據典有出處，讓複合的問題意識成為一個有啟發性的論述連貫起來」，並輕輕將引至著名科幻小說家亞瑟・克拉克（Arthur Charles Clarke）的大膽斷言：「未來的目標是全面失業」——不啻是兼得頹廢與建設的快感。

感性的根基

書中後幾篇關於香港的文章都帶點個人性，涉及陳冠中在香港成長的經歷，也可說是解釋了「陳冠中如何成為陳冠中」的重要部分。作為編者，在這部分看到大量人名書名電影名如泉湧出，真的會手心冒汗（天啊要全部註英文）；而作為香港人，則由衷地感到珍貴。〈讀法文著作五十年〉一文發於北京，不但梳理了自己讀法文哲學歷史文學社科書的過去，還順便梳理了中國不同陣營知識份子對於法國論述的接收史，組出重點潮流直至當下，輕描淡寫說一句「閱讀鏈條沒丟」。陳冠中一貫擅於「如數家珍」，下筆舉重若輕的揮動力，像是書單但又間歇流露深情，系統清晰但又跳脫。

〈香港與我的開蒙〉則像陳冠中《事後》的濃縮版，裡面的知識啟蒙尋找過程，也是很個人化，因為那些都是體制外的知識，課本上不教的，自己往書店和電影會裡吸收的。這種自發性的培養，致令港式知識份子們很知道表面是必須被超越的，厲害的人都有自己的路徑，在許多年後才發現與另一些人的路徑相通或相交。陳冠中尤其為其中佼佼者，他不但談最重要的，還談人家不太談、不太記得、不太知道的。社會運動的參與也是閒閒說來，正當那是人生裡應該有的一個部分。讀者已經趕不及筆記，陳冠中還謙稱這是一個「知道份子的過往」，把那麼龐複巨大的脈絡說得十分親民，這種兼具高遠與沖虛的氣質，也是陳冠中的一貫風格。

編者竊以為〈香港與我的開蒙〉裡面提到的最重要訣竅是「Sensibility」：年輕時硬啃史家的重要著作，開竅、得到初步印象；而陳冠中稱此為一種「Sensibility」，可以終生伴隨。想來這也是陳冠中組織論述的一個關鍵心法，所以他能夠點出劉香成身份的焦慮「在哪裡都是外人」，在歷史梳理中永遠精到描述生活型態（如指出香港的左派子弟有「雙重意識」的政治感知），有時輕輕吐出一句「世界不是這樣的，真相複雜而難解」，所謂「背面敷粉」。悼文〈啟銳永遠年輕〉中記下的羅啟銳面貌，同樣飽含大量的資料羅列，然而都能一筆點出羅氏「永遠不老」的港式浪漫因子。

過去，陳冠中的雜文集多在香港出版，本書則在臺灣出版，讀者讀畢全書，自然明瞭原因。知識份子從不忘記政治，但亦不囿於政治所限。「雜」者縱橫馳騁而不落痕跡，陳冠中之雜，就是雜之本質，也是香港性格核心。離散時代，攀山涉水，含情而來。我們依然認得。

二十年代（代序）

是否還以為在說上世紀，二十世紀。那個世紀，記得嗎，獨佔了三十年代、四十年代、五十年代、六十年代、七十年代、八十年代、九十年代，還有，第一順位的二十年代。獨佔所有年代的那個世紀，過了，竟然過了，終於過了，早就過了，過了二十多年了。是的，現在輪到我們了，我們的二十年代。其實我想說的是，後人會說，到你們了，你們的二十一世紀二十年代，二十一世紀二十年代的你們。還在嗎，你這個活贏了二十世紀的二十世紀人？讀到這段文字的，應都在。你也在的。在就好，在就很好了好嘛。直到這一刻，我們都在，別再著急走。聽我說，喝一口解宿醉的回魂酒：昨夜暴風雨，廣陵散絕，回不去了，日後無雨也無晴，靜好歲月是殘忍的，出門記得帶舌頭，師精禽銜石，效毒株變異，在這二十一世紀的二十年代。

二〇二一年一月初稿，二〇二二年二月定稿

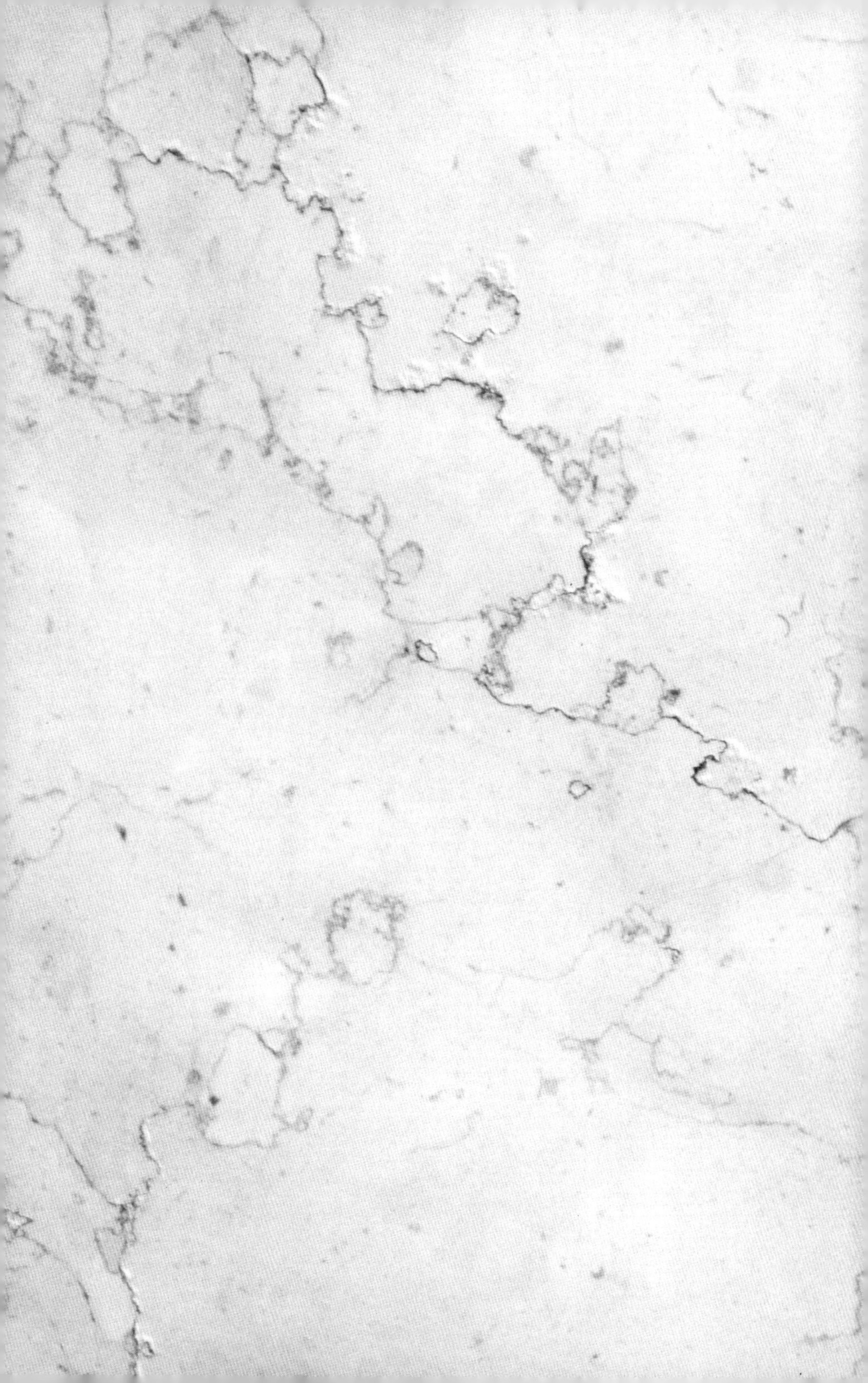

從一百多年前到未來*

——漫談中美世界大戰

七十歲了（本文寫於二〇二一年底），沒經歷過戰爭，很可能一生不遇，算天祐吧？但誰說得準，如果最新幻想戰爭的英文小說是指標的話，世界大戰的發生就在二〇二三年或二〇三四年，那很有可能一個不留神就給趕上了，這類小說不是沒有過預言成真的先例。如是，不必等生態奇點、普遍人工智能奇點，人們就可以目睹熟悉世界的消亡，沉浸於無邊無際的夜幕和漫漫嚴冬，見證終極的末日異托邦。我指的當然是第三次世界大戰，從常規戰或第一擊核襲開打，到全面

＊ 原載《二十一世紀》期刊，二〇二二年十二月，宋明煒主編「中托邦、異托邦」專題的作家隨筆部分。

核戰或愛因斯坦說的用石頭肉搏終結。不管多少國家參戰，要夠得上稱為二十一世紀的世界大戰的，少不了中國和美國這兩個當今超級大國。那時候你我都逃不掉，就算移民去到澳洲新西蘭，核塵遲早會隨季風覆蓋南半球，不然核子嚴冬也會令萬物不生，兩害之間沒得選，只差哪個先把你弄死。

這些二〇二一年出版的關於中美未來熱戰的新英文小說，讓我改變的唯一一個成見就是戰爭爆發的零點竟然可能不是在臺海。

【一】

中美熱戰小說二〇二一年在美國成了氣候，不過，想像中美大戰的小說早在十九世紀九十年代就已有之。稍涉英文烏托邦小說的人都知道，一八八八年美國出了本奇書，一部超轟動的政治幻想小說，貝拉米（Edward Bellamy）的《往後看：

二〇〇〇年到一八八七年》（Looking Backward，中譯《百年一覺》、《回頭看》、《回顧》不一，說的是從公元二〇〇〇年往回看一八八七年）。該小說出版之後跟風而來的小說至少有一百五十種之多，如《往前看》（Looking Forward）、《更往前看》（Looking Further Forward）、《往內看》（Looking Within）、《往上看》（Looking Upward; or Nothing New）、《往後看我看到甚麼》（Looking Backward and What I Saw）等等，其中很多是追捧《往後看》的「續集」（由他人搶寫的），也另有一批「續集」是以各種理由反駁貝拉米小說裡所主張的全美工商業皆國有化的社會主義構想，即小說中所稱的「國族主義」（Nationalism）。其中一本持反對立場的「續集」，是一八九〇年出版的幻想戰爭小說，叫《更往後看》（Looking Further Backward），作者文頓（Arthur D. Vinton），寫的是到了二〇二〇年（沒錯，是二〇二〇年），強大的資本主義中華帝國（還有皇帝在位），派艦隊從太平洋、大西洋（當時的法國已受制於中國），兩面夾攻入侵並佔領了依據《往後看》小說原理建構的和平和諧但軍力不振的社會主義美國，把美式烏托邦改成中國殖民地。一八九〇那年還出版了另一本反對派「續集」，叫《公元二〇五〇：亞特蘭蒂斯的電力化發展》（A. D. 2050: Electircal

Development at Atlantis），作者巴契爾達爾（John Bachelder），寫到一群人靠武力從社會主義美國分裂出來，在北美建立了亞特蘭蒂斯國，一個由商人統治的資本主義式烏托邦，卻遭到了中國的入侵。這表示在該等年代，美洲「有識之士」當中還不乏有人把當時的王朝中國，想像成佔據著歐亞大陸東半部一大片土地的巨人，是個威脅美國國土安全甚至有實力吞併美洲的列強之一。

《往後看》影響遍世界，出版不到三年，上海的華文《萬國公報》（有「西學新知的總薈」之稱）就以《回頭看紀略》之名連載了節譯。繼而李提摩太（Timothy Richard）於一八九四年交出《往後看》的新譯本《百年一覺》，原作者名被譯為畢拉宓，梁啟超在一八九六年的《讀西學書法》曾專門介紹此書。據文學史家鄭樹森說：「譚嗣同、康有為、梁啟超等影響晚清社會變革走向的核心人物無不為之扼腕稱讚，林紓等翻譯巨擘的譯事與李伯元等知名小說家的創作都與這一譯作具有直接或間接的聯繫。」大家要注意這個時間點，是在譚嗣同一八九六年開始撰寫《仁學》之前（譚嗣同說「若西書《百年一覺》者，殆彷彿《禮運》大同之象焉」）；在康有為《大同書》一九〇一年成書之前（康有為自認「美國人所著《百年一覺》書是『大同』的影子」）；更在梁啟超一九〇二年引領中國「新小說」的《新中國未來記》之前——據文學研究者任冬梅在《幻想文化與現代中國的文學形象》一書中說，《新中國未來記》「直接受了《百年一覺》的影響」。

緊隨《新中國未來記》而至的是晚清幻想科幻類小說（含烏托邦小說）的大潮，包括但不限於蔡元培《新年夢》、旅生《痴人說夢記》、吳研人《新石頭記》、陳天華《獅子吼》、陸士諤《新野叟曝言》、《新中國》等等，發的都是烏托邦中國夢，憧憬一個君主立憲或共和、繁榮昌盛、富強王道、超美趕歐、萬國來朝的二十世紀中國。其中一九〇九年的《新野叟曝言》說到中國已殖民歐洲，歐人反抗，中國皇帝派飛艦鎮壓歐洲七十二國。還有一本更清楚符合今天「未來戰爭小說」類型的作品是碧荷館主人一九〇八年的《新紀元》：小說幻想未來君主立憲的中國，聯同全球的黃種人，跟歐美白種人作戰，最後在黃帝紀元四千七百零七年，即西曆二〇〇〇年（沒錯，是二〇〇〇年），打敗白人聯軍。《新紀元》和《新野叟曝言》這兩部預言中國特色新時代的華文小說，與美人反烏托邦的《更往後看》，異曲同工押寶中國在軍事上克勝美歐，那時期的中外幻想作家對中國也真夠有信心。

不過之後大半個世紀匆匆過去，幻想一戰定中外江山的小說卻不多見了。一九二三年還有一篇短篇小說叫《十年後的中國》，作者勁風預言一九三一年日本侵華，中國有人發明了光學武器，將日軍的「飛艇隊和軍艦全部燒毀，然後又飛到日本本土，將彈藥庫引爆，用W光引起了沉睡多年的富士山的噴發，日本全國震動，最後無條件投降。此時歐美各國早已聞風而動，紛紛祝賀我國，承認了中國在世界聯盟中的位置，於是中國就此強大起來。」（任冬梅語）。總體而言，民國的華文小說家似乎再沒有多大胃口構想未來中西大戰，預言中國完勝。

【二】

一九四九年後，中國跟美國在朝鮮半島打了場熱戰，視美帝為紙老虎，工農天堂似也快要在中國實現，推動少年兒童科學幻想普及讀物之餘，實在不必也不敢再去想像不久未來的另外一種烏托邦或惡托邦世界。但到上世紀最後十來年，原創孤例橫空出世了。我和大家一樣，想到劉慈欣寫於一九八九年的科幻小說《中國二一八五》：未來高度文明的中國遇上高科技危機；想到王力雄（筆名保密）一九九一年推出的惡托邦小說《黃禍》：中國的崩潰禍及全世界，引發核戰。也會想到稍晚韓松二〇〇〇年的科幻反諷成長小說《二〇六六年之西行漫記》（又名：火星照耀美國），東升西降、中美易位；還會想到韓松二〇〇四年的史詩式科幻小說《紅色海洋》中烏有史（uchronia）的一章《鄭和的隱士們》：話說鄭和艦隊繞過「世界的拐點」好望角，到達了歐羅巴的葡萄牙，將「最先進的文明」的大明航海技術留了「半拉子」給葡國，後者在歐人大航海時代將敢為人先，反向繞過好望角來到亞細亞。（美國烏有史作家羅伯森（Chris Roberson）也寫過一套十多集長短篇的《天朝》（Celestial Empire）系列，從一四二四年一直跨到未來，開端於假設明仁宗朱高熾早了兩年登上大位，提前了鄭和第七次出西洋，天朝艦隊繞過好望角到了歐羅巴，世界史從此改寫，東升西降）。

不過上述華文小說從類型（起碼是美國出版界的分類）來說，都不算是幻想（fantasy）或推想（speculative）大類下的未來戰爭小說。在英文書業，戰爭小說或軍事小說本身是一種流行的虛構寫作類型，背景放在一戰、二戰以至過去任何戰爭都行。若是遠古傳說或史前戰爭故事，如《野蠻人柯南》（Conan the Barbarian），那會被另歸入幻想小說類。若是關於太遙遠的未來，如《沙丘》（Dune）、《星艦戰將》（Starship Troopers），那就屬科幻小說。至於戰爭小說類型中的所謂「未來」戰爭，是指發生在不久將來的戰爭，實存的地緣政治仍扮演決定性的角色。除了可信的「預言」維度外，未來戰爭小說提供給讀者的看點，跟一般戰爭小說是一樣的：今天讀者的口味講究戰鬥的真實、戰術的精彩、以至地緣政治鋪陳的靠譜，手法是寫實的，不含超自然元素，對新武器軍備更必須如數家珍（這是我清楚知道自己寫不了的小說類型）。寫實的未來戰爭小說，只因為戰爭發生在不久將來，往往也會被書商歸入推想或幻想小說類。在布迪厄（Pierre Bourdieu）意義的文學「鄙視鏈」上，未來戰爭小說的文化地位，好像不如科幻小說以及屬於推想、科幻大類的烏托邦、烏有史、惡托邦和世界末日（apocalypse）小說，也不如正典化的幻想小說如《魔戒》（The Lord of the Rings）、《哈利波特》（Harry Potter），甚至不如有愛倫坡（Edgar Allan Poe）、洛夫克拉克夫（H.P. Lovecraft）、斯蒂芬·金（Stephen King）等大家壓陣的一些超自然驚恐小說。

可能是因為政治顧忌或其他原因，在華文寫作裡，未來戰爭小說的成績似遠不如科幻小說、幻想小說、歷史小說（這點有待各位專家賜正）。我認為華文未來戰爭小說的欠發達，也反映在另一種科幻亞類型——寫實的末日和後末日小說——在華文原創中的不突出。第三次世界大戰之類毀滅性想像的缺席，也可能降低了讀者對劫後世界的興趣。末日小說據說是很受西方年輕讀者歡迎的，描寫末日之後人的生存狀態是很有戲劇感的，而在各種導至末日的理由（瘟疫、生態奇點、科技奇點、外星撞地球等等）中，核戰是很有說服力的理由。但我懷疑那些只盼強國完勝而不辨戰爭殃禍的華文讀者是否有胃口去消化感受核戰末日。

末日世界可以是惡托邦的，也可以先異托邦一番，後者把此在空間變成「異空間」，生成出有異於先存現實的規律和特質，一種貌似很正常的不正常、很熟悉的不熟悉。二〇〇九年有一本叫《一秒鐘之後》（One Second After）的美國小說，說恐怖份子在美國上空引爆核彈，產生電磁脈衝，全美供電中斷，所有電子設備包括手機停擺，公路上的車子剎那失去動力，只剩一些無電子配件的老爺車還能開動，人們最初還茫然不解，呆在原地，不察覺熟悉的世界在一秒鐘之內消失，異托邦已降臨。小說後來寫到美國只剩下十分之一存活人口，中國趁機派五十萬大軍佔領美西。

【三】

久違的虛構中美未來熱戰的英文著作又陸續回到我們的視野了：一九九七年至二〇一二年《龍攻》（Dragon Strike）系列、二〇〇〇年《中國進襲》（China Attacks）、二〇一二年《虎爪》（Tiger's Claw）、二〇一四年《侵略》（Invasion）、二〇一六年《鬼艦隊》（Ghost Fleet: A Novel of the Next World War）、二〇一八年《與中國的戰爭即將到來》（The Coming? War with China: A Semi — Fictional Future）、二〇一九的《沖繩》（Okinawa: This is the Future of War）、二〇一五年至二〇二〇年《與中國的戰爭》（The War with China）六集、二〇一五年至二〇二〇年《作戰計劃者》（The War Planners）六集、二〇一八年至二〇二〇年《紅風暴》（Red Storm）六集。僅是二〇二一年一年，就至少出版了《二〇三四：下一個世界大戰小說》（2034: A Novel of the Next World War）、《二〇二三：第三次世界大戰》（2023: World War III）、《藏在每一片葉子後》（Behind Every Blade of Grass）、《引爆點》（Tipping Point）兩集、《門羅主義》（Monroe

Doctrine）一到四集等等。

以上不包括中美鬥而不破的科幻小說，如名家羅賓遜（Kim S. Robinson）二○一八年的《紅月亮》（Red Moon），寫東升西降後中美從地球鬥到月球定居點；或二○○六年寫四川殭屍走出國門的《Z世界大戰》（World War Z: An Oral History of the Zombie War）；或當紅暢銷作家施特恩加特（Gary Shteyngart）名為Super Sad True Love Story（中譯《愛在長生不老時》，二○一二年出版，現在可能已下架）的調侃小說，把「中國第一」當做既成現實來編故事。甚至二○一二年的《紅小組》（Red Cell）我也不歸入未來戰爭小說之列，雖然小說是從新的金門戰役開場，但基本上它應該被放在間諜小說類：中美諜戰小說也是很有潛力的另一種類型。我也沒有把末日小說算進去，如二○一九年《零點日符碼》（Zero Day Code），寫的是中國發動一場賽伯戰，擾亂美國的食物鏈，北美城市居民斷了食品供應，幾天都熬不過去，全國大亂，少數人唯有自求多福絕處求生——這是典型末日小說，不算本文定義的未來戰爭小說。

未來戰爭小說中的未來戰爭必須有一定的可信性，雖然這類型小說的作家往往強調說自己不是預言家。被認為最有預言效應的未來戰爭小說是英人拜沃特（Hector C. Bywater）在一九二五年出版的《大太平洋戰爭》（The Great Pacific War: A History of the American — Japanese Campaign of 1931–33），描述軍國日本為了出奇制勝，偷襲美國太平洋艦隊。據記載帝國海軍大將山本五十六曾經看過這本小說，並於一九三四年接受拜沃特的訪問。

當半個世紀的冷戰始終沒有直接演變成超級大國熱戰後，美蘇冷戰小說退場，中國登場，沒想到中美冷戰還沒暖好身，英文世界的文創就已經轉向中美熱戰。

一九五七年冷戰時期的著名末日小說《在灘上》（On the Beach，中譯《世界就是這樣結束的》），描述巴爾幹地區的衝突引發美蘇世界大戰，北半球的人全死光了，只有南半球澳洲人還活著，眼睜睜等待核塵隨季風到來，紛紛以自殺結束最後的日子。小說在一九五九年被拍成由美國大明星擔綱的好萊塢大片，港譯《和平萬歲》。二〇〇〇年澳洲人重拍了這部小說，故事大同小異，澳人仍是被動等死的主線不變，但熱戰的零點已不是巴爾幹半島而是臺島，最後引發的是中美的全面核戰。

我本來也將信將疑的以為中美衝突的零點很可能是臺海。還記得一九九四年臺北出版的《一九九五閏八月：中共武力犯臺世紀大預言》一書，轟動一時，在臺島一紙風行。上文說了，十年前寫中美暗戰的小說《紅小組》，起點還是在廈金海峽。到了這幾年，美國軍事戰略研究者的非虛構著作仍不乏定焦臺海的，如易思安（Ian Easton）二〇一七年出版、詳細比較各方軍力的《中國入侵的威脅：臺灣的防禦和美國的亞洲策略》（The Chinese invasion Threat: Taiwan's Defense and American Strategy in Asia，臺譯《中共攻臺大解密》），以及入選二〇二一年華爾街日報（Wall Street Journal）年度十佳、近月在英文網上熱議的美國新思維著作《拒阻戰略》（The Strategy of Denial: American Defense in an Age of Great Power Conflict），作者柯伯吉（Elbridge A. Colby）。二〇二一年底美國陸軍部長沃穆思（Christine Wormuth）也說出了對形勢的擔憂，她說臺海一方應強化「自我防禦能力」。同期，在中國網上，嗜戰網紅網民也一如既往高聲浪呼喚著臺海晚戰不如早戰。

不過這一兩年虛構中美戰爭的美國軍事小說作者卻另有想法，有的還引用中國軍人作家喬良、王湘穗一九九九年的《超限戰》一書以印證自己的非對稱作戰觀點。這些美國新作都認為，中國一旦想好了終須跟美國決一死戰的話，一定會出奇制勝，殺美國一個措手不及。換句話說：偷襲。根據這些小說，出奇制勝的零點可以在外太空（摧毀美國的通訊衛星）、在美國上空（用電磁脈衝破壞本土電子設備）、在美國後門（中國從古巴和委內瑞拉進攻美國本土）、在亞洲海域（以新科技癱瘓美軍通訊）、在賽伯世界黑客美國，以突破性人工智能一舉超克美國，以及用軍國日本的老梗，先發制人偷襲美國的太平洋艦隊。開戰的目的是終此一戰完勝美國，而不是小打小鬧。換言之，是不會也不應隨隨便便在臺海打草驚蛇的。而且既然是突襲，一般人也不可能猜想到是甚麼時候、用甚麼方法、在甚麼地點開打，總之不見得在區區的今日臺海——臺海最多只是未來開戰之後的「附帶傷害」。依據美國這些最新中美熱戰小說的預設，不久將來隨時隨地更可能發生的，只是另一場世界大戰，大家可以省一口氣了，反正今夕吾軀歸故土，他朝君體也相同。

「這個時代已經過去」*

——讀劉香成口述《世界不是這樣的》

疫情下的大陸地區和香港特區，出版消息交流減少，很多人沒有注意到，世界知名的新聞紀實攝影家、上海攝影藝術中心創始人兼現任館長劉香成於二〇二一年十一月上旬，分別在滬港兩地出版了由他主導述撰編註、甚具研討價值的兩本圖書：一本是在上海推出的大型攝影畫冊《上海：1991—2021 一座世界城市的肖像》，一本是在香港發行，由劉香成口述、武雲溥編著的傳紀《世界不是這樣的》。兩書都呈現了劉香成的事功、心路歷程以及他拍攝的大量照片，包括已成經典的和較少見的傑作，無不是對過去幾十年他所到之地特別是改開後中國的

* 原載《金融時報中文網》，二〇二二年。

珍貴紀錄。雖說任何照片都只是記憶、是對過去的回眸，但正如最講究記憶作為發現的作家普魯斯特（Marcel Proust）所說：真正的發現之旅不在於發現新景觀，而在於有新的眼光。劉香成兩書的眼光導向不同，給讀者的感受也不一樣。一本是前瞻性的，每一章都承先啟後推向未來，宣示上海一步一步（再度）成為一座無與倫比的世界級城市，用劉香成在盛大的新書發布座談會上的話：「這裡的人追求世界的最好。」至於在香港出版、歷史背景資料豐富（編著者武雲溥應記一功）、文字與圖片同樣堪供深度細讀的那一本，卻像是在展示一波又一波的終結，每一個篇章都如那句英文熟語：這一章又翻過去了，或如書中劉香成一再說的那句「這個時代已經過去」——那些不久之前方興未艾的事，曾幾何時已一去不復還，時代倉促得讓人唏噓。

劉香成以「世界不是這樣的」作為自己傳記的書名，他在序中解說「是旨在適時地提示不同地方的人們，在傳統意義上對世界的理解，同真實的世界之間常有偏移。」劉香成應該是從他自己的歷練，體驗出這個感悟的。他童年在氛圍迥異的福建和香港兩地長大，成年後當上美國攝影記者，去過很多國家，見證了諸多歷史時刻，也目睹了多個「世界」的終結。他最熟悉中國和美國，機遇讓他非比尋常的可以緊密交通兩國傳媒政商的頂層。他要把自己所知的世界告訴來自另外一些世界的人。這個願力使他走上新聞和紀實攝影專業並且登上當代殿堂，繼而驅動他在千禧年前後中國的轉折點上促成一些敢為人先的國際交往盛舉。劉香成在書中說「我覺得做事情很重要的一點是，選擇在甚麼時間做。」固然，置身並且發奮用力在對的時間、對的地點是關鍵，這也可說是劉香成對常記心中的紀實攝影宗師布列松（Henri Cartier-Bresson）的那句「決定性瞬間」的廣義理解。不過，機遇是必須卻不是全部的條件。劉香成的成就還應歸功於他長年厚積薄發的專業準備，他的不輟學習以求更參透、更把握、更「貼近」目標（轉喻自劉香成用以自省的戰地新聞攝影先驅羅伯特·卡帕（Robert Capa）的名言「拍不好，因為你不夠貼近」），以及他的敏銳、主動、彈性、多軌、察言觀色、把握機會的處事能力（他被同業譽為「多彈頭導彈」）。

劉香成童年就歷經了兩個世界，體驗了大陸和香港兩地兩制。他一九五一年在香港出生，當時父母才從福州遷港沒幾年。劉父在報社工作，五三年讓妻帶兩歲的劉香成回去榕城，書中說因為劉父「相信小孩子還是應該接受更多的中國傳統教育。」母子兩人回到園林風格的福州故居，這是劉香成的父母當年結婚時，女家送給新婚夫婦的宅院，不過這時候房產已充公，搬進很多外人，成了大雜院。劉家母子只住後院，但不妨礙劉香成追憶童年院子裡的果樹夏季滿院飄香。因為有外匯僑券，三年大饑荒時期劉香成沒有挨餓，不過也體驗到在物資匱乏下的生活。他上一所在福州軍區大院北門的小學，同學多軍幹子弟。劉香成出身地主家庭，海外關係複雜，無論他學習多好、勞動多努力（如參加除四害），都加入不了少先隊，有些「部隊子弟也不願和他一起玩。」劉香成在書中說：「小時候我只是不明白，為甚麼好像我只要站在那個集體裡面，就不如別人。」他說「這種身分的焦慮，會透到骨頭裡面。」

那還是個兩岸連年砲戰的年代，福州是前線城市之一，在交火猛烈的日子學校會停課，劉香成就隨母避居鄉下。到一九六〇年，劉父「終於決定」，把母子倆接回香港。就在福州童年結束、離榕回港前，學校才同意劉香成圓夢繫上了紅領巾。

帶著這些體驗，九歲的劉香成重回英殖民地香港，過另一種少年兒童的生活。他給送進天主教小學（而不是「左派」子弟學校），他每天開課前要祈禱，他要同時學英語和粵語。他說自己在學校裡面，仍然搞不清楚自己的身分，同學只當他是「大陸仔」。他住在港島魚龍混雜的灣仔區的高樓裡，在大廈電梯間，「能看到在酒吧喝得醉醺醺的美國大兵，摟著吧女上樓開房。」課餘劉父還鼓勵他「接觸社會」去當送貨員賺外快。

劉父劉季伯是國民黨員，曾當過民國官員，遷港後在富商胡文虎（萬金油創始人）開辦、報頭掛中華民國紀年號的報紙《星島日報》任職。一九四九年中華人民共和國成立前後，林靄民任社長的星島報系一度左傾，頭版用上過「廣州天亮了」這類大字頭條標題，筆桿子劉季伯也曾以春天的到來比喻新政權。其後《星島日報》再度靠右，劉季伯轉到「左派」的《新晚報》、《循環日報》（由曹聚仁、林靄民在一九五七年復刊，後併入《正午報》），到一九六〇年進《大公報》，至今香港老一輩的左派報人還記得他。

在殖民地香港，替中共港澳工委在「白區」工作的左派人士有自己的小社會，自己的學校、工會和亞文化，既置身香港又處於主流之外，所以左派子弟有一套普通香港青少年沒有的政治感知，一種雙重意識。文革頭幾年逢春節假劉季伯會偕妻陳偉雯和劉香成去廣州，讓劉香成和散居全國各地的三個姐姐和一個哥哥團聚，住進當時最好的華僑飯店，地方統戰部和僑辦還會請劉季伯一家吃飯。飯桌上有些官員「暫時放下戒備，把劉季伯當自己人。」書中說文革期間這種場合「很多問題難以口頭表達」，「劉香成漸漸養成了觀察周圍人們肢體語言的習慣……他還沒有意識到，這樣察言觀色的本領日後會派上用場。」

以主持《正午報》、《大公報》國際新聞而在行內有名的劉季伯「沒有明確說過希望兒子將來從事何種職業，但有時會隨手拿幾份英文電訊稿，叫劉香成試著譯成中文」，並對他說「想知道世界是甚麼樣子，答案在這裡面。」「這些稿件來自路透社、美聯社、法新社等世界各大通訊社，內容五花八門，誘發了劉香成此後一生，對傳媒業的濃厚興趣。」這也助劉香成把英文練好，奪得天主教學校英語朗誦比賽的冠軍。那時文革中國和「美帝」尚處於互相隔絕的敵對狀態，劉香成卻在劉父的一位替美媒《新聞周刊》撰稿的朋友的建議下，決定高中畢業後去美國留學。一九六九年劉香成買了張單程票赴美，帶著的卻是中港同齡人少有的內在儲備——更多重的意識、對世界更複雜的感知、對身分焦慮更直接的體驗，去到社會內部對立嚴重的六十年代美國的那個最混雜多端的大城：紐約。

曼哈頓的亨特學院（Hunter College of City University of New York）曾是座歷史悠久的女子學院，後納入紐約市立大學體系，一九六四年開始收男生，校內有較大比例的美國少數族群包括亞裔的學生，培育出來的在美知名人士甚多。當年香港學子留美多修工程、科學或財會管理，劉香成在亨特學院主修的卻是國際政治。他會在學院的圖書館找出一份關於中國政情的英文週報翻看「入迷」，有「遙遠的親切感」，這就是香港編印的《中國新聞分析》，編著者是傳奇性的耶穌會教士拉達尼。匈牙利裔的拉達尼神父長年在香港那邊靠收聽內地的電臺廣播來探悉揣測邊界以北、對外封鎖消息的大陸，解讀中南海以及中國政經社會的變動。不要說在美國，就算是在當年的香港知道有這位教士和這份週報的人也非常少，但對冷戰時期西方的中國觀察者來說，這是必備的參考消息來源。劉香成「驚訝」地發現學校圖書館裡關於中國的藏書遠比想像中豐富。他在修法理課時把作業鎖定在法家韓非子。劉香成說：「做完這篇關於法家思想對中國歷代君王治國理念影響的作業，彷彿打開了我頭腦裡對中華文明的興趣大門。」

劉香成也不負青春，到美國不久他就開著當時是一種彰顯酷態度的德國進口、「很小」的甲殼蟲汽車，「橫七豎八載著一幫朋友，大家唱著歌趕往紐約郊外」，沉浸貼近美國戰後嬰兒潮一代的歷史瞬間——四天的胡士托音樂節（The Woodstock Festival）。劉香成也「和一位法國女同學」跑去鄰省劍橋的哈佛廣場參加反越戰示威。同期，劉香成跟許多留學生一樣，課餘在中餐館打工，混熟了一批很有個性的紐約華人，一度還考慮當餐館合夥人。

到大學的最後一個學年，要自由選修一門課。「已經不記得當年是出於何種念頭，他選修了一門攝影課。」

劉香成隔三岔五拿著相機，從位於曼哈頓上東區的校園往下城走，拍街頭人物，這大概是劉香成的第一組紀實攝影作品。然後一種在紐約才可能的小小奇蹟發生了，有兩個貴人注意到他。

一個是阿爾巴尼亞裔、七十歲的瓊恩．米利（Gjon Mili），他是紐約《生活》雜誌的攝影師，而《生活》在那個新聞和紀實攝影媒體的黃金年代恰是全球最重要的圖片刊物。米利大概是劉香成一生將會結交的眾多攝影巨匠中的第一個。米利拍畢卡索拿著一支小電燈在空中揮舞畫出鬥牛的「光畫」照相是教科書級經典。不知是甚麼「轉彎抹角的關係」，米利看到攝影初階生劉香成的作業，把他招到《生活》當實習生，在那四壁貼滿二十世紀大家作品的工作室，米利教劉香成「讀圖」，「一張張指給劉香成看，這張好在哪裡，那張又是如何考慮」，「這段持續九個月的實習生涯讓劉香成徹底愛上了攝影。」

另一個貴人是亨特學院的曹教授（Lionel Tsao），一九二四年北京出生，一九四六年上海聖約翰大學畢業，一九四九年進哈佛修政治學，一九六七年主任亨特學院古典系。曹教授「對劉香成很賞識，師生經常談論一些中國話題。」劉香成在米利工作室實習快期滿的時候，曹教授對他說：「你在《LIFE》學習了幾個月，應該見見老闆了。」老闆是指《生活》雜誌上游總公司時代集團的總裁凱爾索．蘇頓（Kelso F. Sutton）。曹說：「他是我的同學。」

劉香成去見了蘇頓，總裁說：「曹教授的學生，在《LIFE》實習，想去中國。我知道了。」不到一周《時代》周刊圖片主管就面見劉香成說：「如果你準備好去中國了，我可以給你一個差事。」這開始了劉香成與時代集團今後二十多年在中國斷續但豐厚的關係。「劉香成日後總結的第一條人生經驗就是，清楚地知道自己想要做的事情。當你見到一個能夠決定給不給你機會的人物，一定要言簡意賅地表達自己的目的。不要搖擺不定，不要模棱兩可，人生的機會稍縱即逝。」

不過畢業後劉香成並沒有立即想去中國，而是去了歐洲四處拍照，趕上西班牙佛朗哥逝世和葡萄牙康乃馨革命——西歐最後兩個專制政體的終結，又在巴黎認識了由周恩來特批涉外結婚的北京女子宋懷桂（後成了時裝名家皮爾．卡丹（Pierre Cardin）的中國代表，在北京舉辦文革後首批時裝秀和引進馬克西姆餐廳）。一九七六年九月劉香成在巴黎知道毛澤東去世的消息後，決定進去中國。他先去通知一個認識的圖片代理。

二十世紀是書報刊印刷品的全盛期，需要大量照相，各地圖片代理公司應運而起，最顯赫的首推布列松、卡帕、喬治．羅傑（George Rodger）、大衛．西蒙（David Seymour）等在一九四七年創辦、首個由獨立攝影師自己經營的馬格南圖片社（Magnum Photos）。情況到了千禧年後才大變。在今日這個人人可以發表照片的自媒體時代，用著名圖片代理人羅伯特．普雷基（Robert Pledge）在二〇二〇年的說法，大概只剩少數擁有龐大深厚照片檔案庫的傳統圖片社還能存活。這跟一九七六年——普雷基稱之為新聞攝影的第二個黃金年代——的情況很不一樣。當年法籍的普雷基聯手屢獲新聞攝影大獎的大衛．伯內特（David Burnett），以及艾迪．亞當斯（Eddie Adams）等幾位攝影師，創辦了「聯繫新聞圖片社（Contact Press Images）」，一家代理獨立攝影師（如一九七七年加盟的安妮．萊博維茨（Annie Leibovitz））作品的「精品店」（普雷基語）。劉香成其實在紐約實習的時候已認識當時負責法國伽瑪圖片社（GAMMA）紐約辦公室的普雷基，後者常到米利工作室看圖片，「對米利身邊的劉香成印象深刻。」不過當劉香成決定要趕去北京拍毛澤東葬禮前，他還得先問一句普雷基「我要去中國了，你有沒有興趣要我的照片？」普雷基說：「我做你的代理人，你快去中國。」劉香成拍完照，底片寄給普雷基去挑選圖片，推銷給合適的媒體。

《時代》周刊也給了劉香成一份差事、一個進中國的名份：特約攝影師。不過當他九月中旬拿著港澳華僑回鄉證到廣州後，中國旅行社說甚麼都不安排他去北京。那時候四人幫還沒倒，文革也沒從華國鋒口中正式宣布結束。在各地組織毛澤東追悼會的期間，劉香成在廣州待了十幾天，拍了他的第一批中國紀實攝影作品——廣州市民百態，「他們的臉上並沒有表露出強烈的悲痛。」

「『中國人的肢體語言是很微妙的』。劉香成想起文革初期回鄉探親遇到的那些人，個個都有『緊綳綳』的感覺。而眼下毛主席剛剛去世，『人們的精神狀態好像一下子放鬆了。』」巨變將至。

幾個月後劉香成再回中國，目的地上海。華國鋒已宣布文革落幕，但批鄧、反擊右傾翻案風還在繼續，外灘仍展示著毛澤東輕按華國鋒手的巨型宣傳畫，上面寫著「你辦事，我放心」。這幕也將過去。

一九四九年後美國媒體通訊社都不准留在中國大陸。一九七九年一月一日中美建交，《時代》周刊拿到中國外交部新聞司批准的第一批名額，立即指派該刊駐香港的理查德·伯恩斯坦（Richard Jacob Bernstein）（白禮博）進駐北京。伯恩斯坦對劉香成說：「我們準備組建在北京的分社了，需要一個攝影記者，我想你比較適合。」

劉香成隨《時代》和首輪美媒進京（之前北京已有蘇東陣營駐華通訊社）。首批四名文字記者包括名堂響噹噹的《紐約時報》北京分社首任社長包德甫（報導「五角大廈文件」得普立茲獎），以及美聯社首任社長約翰·羅德里克（Roderick，John Prescott），他在四十年代曾到延安訪問過毛朱劉周，又在七一年隨團美國乒乓球隊破冰訪華，當時周恩來在人民大會堂握著羅德里克的手說：「歡迎你第二次打開中國大門。」劉香成是第一撥駐京美媒唯一的攝影記者，還是華人。同期四名文字記者中也有一名是華裔的，是從《紐約時報》轉《亞洲華爾街日報》調回《華爾街日報》北京站的秦家聰；翌年又有從《遠東經濟評論》轉《新聞周刊》的劉美遠，打開了後來加拿大《環球郵報》黃明珍等更多華裔任西媒駐中國通訊員之先河，開局令人期待。

一九七九年中國人均年收入為一八三美元，劉香成的日薪是三百五十美元，全年工作一百二十五天，合年薪四萬三千多美元。「有人告訴我，兩千美元可以在北京買一座四合院。我算了算，一個月薪水就差不多能買兩座了。」

劉香成向周刊性質的《時代》和全天候的美聯社供圖片，但他的工作功效超過新聞攝影。他用上了自己的人脈儲備。一九八〇年十一月中國公開審判四人幫，外媒不得庭聽，但香港《大公報》系的著名報人羅孚在場旁聽。羅孚是劉季伯的熟人，劉香成小時候就認識他。「在『四人幫』受審期間，每到庭審休息時間，劉香成就和羅孚通電話。『江青今天喊了口號，說毛主席讓我幹甚麼我就幹甚麼……』羅孚會把當天庭審的情況告訴劉香成，這幾乎是第一時間來自法庭現場的消息。」至於庭審圖片，劉香成跟官媒中國新聞社談好，從指定拍攝者呂相友（以拍攝國家領導人著名）的照片中，挑出幾張交由他供外媒發表。劉香成每天拿到照片就直奔西單電報大樓（駐華外媒自備傳真機是八十年代中以後的事），憑羅孚的口述撰寫說明，配上中新社提供的呂相友照片，用電傳替只爭朝夕的美聯社往美國發稿，領先同儕。此時他贏得了多彈頭導彈的稱謂。

他在美國卡特總統（Jimmy Carter）副座蒙代爾（Walter Mondale）訪華時隨

團，國宴中「大膽地舉著相機靠近了巨大的主桌，拍攝了鄧小平給美國客人夾菜的鏡頭，過程意外地順利，整場國宴從頭到尾也沒有人過來阻止他。」他又隨美國國防部長的軍事代表團「破格」坐解放軍飛機到天津看殲—七戰機改造，在上海登上北洋艦隊艦艇，在武漢參觀潛艇製造基地。「一九八〇年還有一張照片，我在人民大會堂裡面一個角落拍到的，六個解放軍的大軍區司令在那裡坐著聊天，他們在等著美國國防部長來出席國宴。這時候我是拿著一個徠卡，把人民大會堂那個很厚重的布簾拉開進去拍攝他們。因為我很調皮嘛，我想看這些軍官在幹甚麼。外交部的人也不管我，裡面這六個司令也無所謂，我拍就拍了。」

八十年代初「一些國宴、中南海的舞會等場合也對外國記者開放」，「像萬里、余秋里、習仲勳這些領導人，就拿著酒杯過來跟我們碰杯，氣氛很活躍。」劉香成說，「他們有意識地會在我的鏡頭前多停留一會兒。」

當時駐華的外媒記者同各級官員保持著較為密切的私人交往。有一次外媒記者回請替他們安排行程的總參外事局代表，沒想到自命酒量好的老外「完全幹不過中方」，最後中方「很有風度，默契地提前離席了，留下美方這批醉貓們東倒西歪，像螃蟹一樣在地上爬。」劉香成「心有餘悸」的說。

劉香成經常邀請外交部熟悉的幹部，在他的齊家園外交公寓住所一起吃晚餐喝紅酒聊天，這種輕鬆愉悅的聚會，其實是西方國家常見的「吹風會」。官員可以透露一些政策情況和個人看法，媒體通常以匿名方式、有選擇地發布這些消息，例如「據知情人士透露」。「這是一個重要的遊戲規則，也是很有價值的消息源。」

此情難再。多年後劉香成說「就像白樺先生寫的《苦戀》一樣，這些外國記者跟中國之間也有一種『苦戀』，就是住在這裡很多年，你會帶有複雜的感情來看待這個國家。」

劉香成趕上了西單民主牆和北京之春，「那段時間外國媒體報導這些遊行的照片基本都是我拍的」；他拍下了四月影會，星星美展，北島和《今天》編輯部，跟鍾阿城、吳冠中、侯寶林、黃苗子交往，黃永玉寫字給他，在吳祖光家吃新鳳霞做的飯。愛新覺羅．溥傑親自帶他去故居紫禁城拍照，已近閉館時分，門衛認出溥傑，連忙請進，溥傑在太和門廣場拉一把椅子坐下面對鏡頭。劉香成說，「我也是一生難忘啊」，「有那樣一位老先生，給我當導遊，參觀他從前的家。」

美聯社在一九八二年正式把多彈頭飛彈劉香成挖到旗下。劉說：「由於我對中國的政治和社會問題早有思考，所以我才能夠成為美聯社駐中國的正式的攝影記者。如果我只是一個拍照的，那這個機會一定不屬於我。」

一年多後在他自己請調下，美聯社安排他先後改駐洛杉磯、新德里、首爾、莫斯科。輪調記者是美聯社的慣例，劉香成的新聞紀實攝影事業因此開始了第二章。在洛杉磯，他拍攝列根（Ronald Wilson Reagan）的第二任總統選舉，以及八四年洛杉磯奧運會（那年中國取得十五枚金牌）。置身影城名利場，他發覺「在美聯社的鏡頭前面，沒有難搞的明星」，但也發現「沒有一個人問我中國是怎麼一回事，他們完全不關心。」「美國人對國外的事情興趣不大。」

在洛杉磯他只待了兩年就再請調，被派去印度，一名同事說：「劉，你腦袋有病嗎？」「全美國的記者都知道南加州多麼好，你每天拍幾張照片就可以回家，躺在沙灘上曬太陽，你去印度那種鬼地方幹甚麼？」劉香成回想：「我內心裡很想接受這個挑戰，想要在美國最大的新聞組織裡面證明，我這個華人，是可以被派到世界任何地方工作的。」

劉香成八五年到新德里站，一待四年多，拍攝動盪多事的南亞和東南亞多國的社會新聞事件。在印度，上一年錫克教徒與政府軍衝突死了五百多人，總理英迪拉·甘地（Indira Gandhi）遇刺，美資聯合碳化工廠毒氣外洩二十萬人中毒兩萬人死亡，都餘波未了。在斯里蘭卡，佛教和伊斯蘭教兩教的兩個族群（多數的僧伽羅人（Sinhalese）和佔人口一成半的泰米爾人（Tamils））世代的矛盾引發長年內戰，劉香成「經常看到整村的人被屠殺」，「紐約那邊的編輯聯繫我說，能不能拍點兒別的，美國人不願意早上打開報紙就看到這麼慘的畫面。但是作為記者，你必須要不停地拍照。」為了進入蘇控阿富汗，劉香成花了六個月跟喀布爾的印度使館參贊打好關係，拿到美媒第一張入境簽證，拍到蘇聯一九八八年不光彩的撤軍，以及伊斯蘭聖戰士進駐喀布爾。在柬埔寨，共產越南在紅色高棉連年纏戰後，於七八年正式侵柬，驅趕但未能完全消滅殺人如麻的波爾布特赤柬政權（Pol Pot, Khmer Rouge）及其他反越武裝，灰頭土臉的過了十年，於一九八八年底決定撤軍，翌年劉香成隨越軍坦克和軍車撤向西貢。待這幾頁翻過去已經是一九八九年初，劉香成請調到剛開完奧運會的漢城（二〇〇五年改稱首爾）。

劉香成「開玩笑說，韓國最有錢的人，一定是賣催淚彈的。」

「韓國當時有『流淚的周末』一說，因為每個周末，學牛們都會走出校園，在街頭進行抗議活動，而韓國軍警通常會使用催淚彈驅散人群。鑑於此前有『光州事件』流血的教訓，軍警輕易不敢開槍，也不會衝進校園逮捕學生，他們的行動目標只是驅散學生，催淚彈就成為最有效的工具。」劉香成定做了一個鏡片有近視散光度數的防毒面罩，拍攝軍警和學生們的追逐戰。「學生們從學校衝出來，拿磚頭轟警察們。警察拿著盾牌衝過來，拿催淚彈轟學生們。每天來回就是這些事情。」「現在回想起來，如果一九八九年的中國也像韓國這樣使用催淚彈，或者像歐洲警員那樣使用高壓水槍，天安門就不會流血，也許歷史進程就大不一樣。」

那個春夏之際，敏感中國形勢的劉香成身在漢城，目光也射向北京，那裡的學生也在運動。「五月上旬，劉香成向美聯社總部提出讓他到北京看看，馬上獲得批准。」

五月中旬蘇共總書記戈爾巴喬夫（Mikhail Gorbachev）訪華，京城國際媒體雲集，隨後外媒記者以為已沒有大新聞就陸續散去。美聯社總部叫劉香成暫時主持北京分社工作，坐鎮辦公室。「憑藉應對緊急事態的經驗，劉香成作出了一個決定，就是要求美聯社北京辦公室的長途電話不要掛斷，保持和紐約的聯繫。『雖然電話費很貴，但是萬一斷線可能再也打不通了。』」劉香成說，「這是我的直覺，也沒有跟社長請示，我覺得無論花多少錢都要保住通訊。」「六月三日整晚到四日白天，美聯社北京辦公室的國際長途就一直保持連線。」

劉香成騎自行車右手扶把、左手舉三十五毫米定焦相機觸按快門的本領於那天早上也派上用場——他在天安門東側南池子拍得市民用三輪板車拉著傷患送往東單協和醫院的鏡頭。

六月五日早上，劉香成指示社內攝影記者傑夫．懷登（Jeff Widener）說：

「你能不能去北京飯店？我在那裡住過，記得有面對廣場的房間，可以從陽臺上拍照。」懷登帶著八百毫米鏡頭，騎自行車去到位於長安街與王府井大街交界地段西北角的制高點，即涉外酒店北京飯店。於飯店大堂進口處，懷登在本來不認識的美國交換生寇克．馬特生的即興配合下，混進飯店，躲在馬特生房間的陽臺拍攝廣場動態。十點左右，劉香成在辦公室裡接到懷登打來的電話，「劉，我想我可能拍到了一張照片，有個人站在坦克前面。」

「相機和膠卷一定要分離，這是我囑咐傑夫的」，劉香成說。

傑夫．懷登拆下最後一卷富士彩色膠卷（這卷膠卷是馬特生在飯店大堂向澳洲背包客約翰．費利哥夫討借回來的），連同那天早上拍攝的其他膠卷，交馬特生偷運出飯店。馬特生騎走費利哥夫租來的自行車，上不了長安街，繞遠路把膠卷交託給位於二環外光華路和秀水街的美使館，再輾轉送到二環邊建國門外交公寓的美聯社所在。那最後一卷膠卷內存有懷登版本之「坦克人」唯一可用的一張照片。

同日，《環球郵報》的黃明珍從北京飯店打電話給劉香成：「劉，現在坦克正在長安街上由西向東，往你的方向走。」劉香成「放下電話就拿起相機衝出去」。建國門外交公寓有一棟六層帶橙紅外牆的樓房，正對著長安街和建國門橋的交叉路口。劉香成「到六樓一看上天臺的那個門鎖著，我用了全身的力氣，啪一聲把這個門撞開了。」「在天臺上快速架好相機，樓下剛好看到兩輛坦克經過，正在二環路建國門立交橋上轉圈，橋下還有一對青年男女共同騎在一輛自行車上……」美東時間六月五日，懷登和劉香成在歷史瞬間分頭捕捉的兩張照片，出現在「幾乎所有西方主流大報」的頭版頭條。

幾天後劉香成坐國泰航空頭等艙先到香港，再回漢城。「在位於中環的香港外國記者俱樂部裡，劉香成看到世界各地很多知名媒體的記者，其中不乏大牌攝影師。他們得知天安門廣場發生重大新聞事件，紛紛從全球趕來，可是已經無法進入北京。」

劉香成獲得密蘇里大學新聞學院（世界第一所大學新聞學院）《年度圖片國際》的「全美最佳圖片獎」，以及美聯社一九八九年最佳攝影師榮譽。

一九九〇年初劉香成從首爾站調到美聯社的一個大站：莫斯科。翌年十二月二十五日的夜晚，劉香成隨CNN進入克里姆林宮錄拍戈爾巴喬夫辭職講話，現場不准拍照，就算偷拍也只有一次按快門的機會，他知道自己手穩，決定用他從沒試過的三十分之一秒的快門速度，搶拍戈爾巴喬夫講話結束、扔掉手中講稿那一瞬間的照片。「那一刻定格載入史冊。」

劉香成與美聯社莫斯科站攝影同事分享得至高榮譽的普立茲一九九二年現場新聞攝影獎和美國海外記者俱樂部一九九一年伊士曼柯達獎（KODAK Film Awards），並第二次成為美聯社年度最佳攝影師。

「好像整個二十世紀後半葉，全世界重要的衝突和重大事件發生的地方，我剛好都在場。」《世界不是這樣的》一書中對劉香成在蘇聯及之前各國的拍攝生涯有更多細節描述。但劉香成也說自己是「最後一代幸運的記者……今天無論美聯社還是《時代》周刊，或者世界其他媒體，都不會允許一個記者住在一個國家四五年時間，又沒有明確的任務，就讓你去了解這個國家，等著你拿出作品，這個時代已經過去了。」

自從在《生活》實習開始，劉香成與新聞紀實攝影的經典傳承已結下不解緣。《生活》原是一八八三年創刊的綜合類幽默雜誌，一九三六年被《時代》和《財富》的出版人亨利·盧斯（Henry Luce）收購成旗下第三本刊物，全面改版為「看生活、看世界、見證大事件……」的看圖周刊，風行一時，推動新聞紀實專業攝影登上了全球矚目的影響高峰，二戰前後幾乎所有歐美特別是猶太籍的攝影名家都與該刊有關連，也包括著名第一代女性戰地新聞攝影家如瑪格麗特·伯克—懷特（Margaret Bourke White）以及格爾達·塔羅（Gerda Taro）（與情人費里德曼一度共用羅伯特·卡帕的藝名發表作品）。華裔新聞攝影先驅王小亭在一九三七年淞滬戰爭期間上海南站廢墟拍得的一名渾身是血的幼兒嚎啕大哭的照片「中國娃娃」，以至一九四五年日本投降當天，阿爾弗雷德·艾森施泰特（Alfred Eisenstaedt）在紐約時代廣場拍攝的「勝利之吻」照，都是刊登在《生活》上的。這些名家經典在劉香成當年與恩師米利「讀圖」喝威士忌聊天的時光應該已見識不少，而出道後他將更多出入往來於當代傳奇的行列，例如「聯繫新聞圖片社」的掛名創辦者之一，同樣曾任聘於《時代》、《美聯社》的普立茲獎得主艾迪·亞當斯（一九六八年拍下了南越警察總長阮玉鸞在街頭以手槍近距離扣轟越共阮文斂頭部的「西貢槍決」）。劉香成駐《美聯社》洛杉磯站的時候，同事是另一名普立茲獎得主、越南裔的黃功吾，一九七二年他才二十一歲，在南越拍到一群兒童哭喊著向鏡頭奔來，其中包括「燒夷彈女孩」，當年僅九歲、皮膚大面積灼傷的潘金淑（潘金馥）。一九八九年在劉香成的調動下，初到美聯社北京站的傑夫·懷登攝得「坦克人」，獲多個獎項，進了普立茲獎決賽，列入《時代》史上最有影響力百圖，並被「美國在線」評選為史上最被記住的十大映像。同期劉香成自己也登上新聞攝影巨匠的殿堂，贏得各種殊榮，重要作品載入了新聞攝影史冊。

二十世紀有所謂一張圖片定義一個時代的說法。劉香成對此很清醒的說「這個時代已經過去……現在全世界每天誕生數以億計的圖片，在這種情況下，攝影師要『擁有一個故事』，讓人家想到這件事就同時想到你的作品，是難之又難的事情。」

更岌岌可危的是新聞圖片的真實可靠性。《世界不是這樣的》書中寫到美國副總統蒙代爾訪華，新華社攝記為了美感，移動了現場一隻煙灰缸的位置。又有一次採訪山西煤礦，「幹部阻攔拍滿臉煤灰的礦工，要礦工洗穿好看才拍照」，「中國礦工是世界上唯一一群在地下六百米深處勞動一天後，還能保持渾身一塵不染的人。」劉香成無奈的說。擺拍新聞照不止是中國才有。英國皇家攝影學會創辦人、被認為是戰地新聞攝影之父的羅傑爾．芬頓（Roger Fenton），一八五五年以蛋清玻璃感光板技術，拍下克里米亞戰場的照片，不過後來史家對他那張名作《死亡的幽谷》地表上布滿砲彈是不是擺拍爭論不已。在中國拍攝戰爭現場的第一個攝影師應該是義大利裔英人費利斯．比托（Felice Beato），他用蛋清玻璃和濕版火棉膠兩種負片拍攝第二次英法聯軍犯華的大沽口戰役，而他的照片後來也被認為是有局部擺拍的，改佈了中國士兵屍體的位置而照片內沒有出現英法聯軍死亡者。隨著十九世紀末伊士曼柯達膠卷的發明和較輕便的一九二四年徠卡三十五毫米相機的出現，二十世紀的西方新聞攝影專業漸漸不再接受擺拍行為。一九五五年成立的《世界新聞攝影基金會》每年的大賽要求參賽作品「內容不曾改變」：不准重演、擺拍、增添、改佈或消除框內任何客體對象，不准以映像處理改變顏色、密度、反差或對客體有所糊化。曾幾何時這是任何有尊嚴的當代新聞攝影專業從業員（有別於公關宣傳攝影從業員）的底線。但在網絡和自媒體的數碼化新時代，修圖改圖處理技術以假亂真，圖片造假氾濫，上述的那種專業新聞攝影更顯得是唯一一種堅決不能允許「內容改變」的圖片類型，正如劉香成的第一個圖片代理普雷基在二〇二〇年八十高齡那年說：「新聞攝影的存在理由就是為真相、記憶和歷史。」他黯然的說：雖說宣傳、審查、圖片竄改等故意誤導的現象由來已久，但在社交媒體的病毒式傳播下，真相、記憶與歷史的確承受到巨大的損害。但普雷基依然認為二十一世紀新聞攝影的「宗旨不變」，還是「準確和誠實地調查、質疑和報導。」新聞攝影專業倫理是圖片真實性的最後防線，守不住的話，視覺真相的年代將會告終（或在某些國度早就不存在），餘下只剩宣傳操控、欺騙造假、自娛娛人。

資深策展人兼學者皮力曾語重心長的說，在「廣泛使用數碼技術和在線媒體」的二十一世紀，「劉的攝影幾乎就是傳統圖像的輓歌」。劉香成整個新聞攝影的專業生涯，很幸運都趕上眾多主流自由媒體相對恪守專業新聞倫理的年代，但這一頁也將會很快被翻過去嗎？

放到中國「紀實攝影」史的脈絡上，費利斯・比托是新聞現場攝影的第一人，同時也是中國園林建築攝影（圓明園火燒前）和肖像拍攝（恭親王、下令燒圓明園的英代表伊利近（James Bruce, 8th Earl of Elgin））的先驅，雖然他不是最早在華拍紀實照的人，比他稍早或幾乎同期、一八六〇年前的中外攝影者至少還有法人於勒．埃及爾（Jules Itier）、新會羅以禮、香港謝芬、周森峰、張老秋、上海麗昌、瑞士人皮埃爾．羅西耶（Pierre Rossier）等，但比托仍是最早期很重要的一員。紀實就是紀錄的意思，在英語裡與紀錄影片同詞，但用在攝影時被中譯成紀實。紀實攝影和新聞攝影的界線有時候會交錯。

中國的紀實攝影史尚有待梳理清楚，但毫無疑問在地攝影師今後應是紀實攝影的主力。至於在上世紀有助建構外間人士的中國想像的紀實攝影，依皮力的評介，應該考慮的四個攝影家是：紀錄中國抗日的羅伯特．卡帕、紀錄國共內戰的布列松、紀錄毛時代的馬克．呂布（Marc Riboud）、紀錄後毛年代的劉香成。

在一般認知的紀實攝影、敘事攝影以至新聞攝影這幾個有近親關係的攝影類型上，劉香成都得到各方的肯定，雖然他多次表示不願意別人對他的作品做分類、貼標籤。他的毛後中國、解體前後蘇聯等紀實攝影作品皆已為有聲望的外國出版社編集成攝影圖書，也被香港M+等重要美術館所典藏，多個中外美術機構都曾替他辦過個展。美國《新聞周刊》形容劉香成為中國的「亨利・卡蒂埃—布列松」；紐約國際攝影中心、多次主辦中國攝影展的策展人克里斯多福・菲利普斯（Christopher Rouse）說劉香成「令人羨慕地接觸有名者和有權者，但他從不棄忘保持一種質疑、批判的距離」；劉香成後來的夥伴、藝評人凱倫・史密斯（Karen Smith）在評論一九八三年由《企鵝》出版劉香成的第一本英文攝影集的時候說：「劉通過鏡頭把標準的『西方的思索』帶到了中國，卻又不失中國氣息，還通過一種特殊的方式關心政治，這樣的紀實攝影在當時的中國可謂獨一無二。」兩位硬核漢學家表示同意：一九七四年文革後期就在山西大寨和上海電機廠體驗勞動的夏偉（奧維爾・謝爾（Orville Schell））說劉香成「足以與亨利・卡蒂埃—布列松和馬克・呂布比肩」；《中國的陰影》作者、筆名西蒙・萊斯（Simon Leys）的皮埃爾・李可曼（Pierre Ryckmans）說「劉香成的攝影作品仿如一條條捷徑，通往一個複雜而難解的真相」——世界不是這樣的，真相複雜而難解，劉香成的照片是捷徑。

除了攝影藝術外，劉香成還有另外一組的事功是不得不提及的，因為這些事功既可能在某個程度上調校了中國發展的軌跡，也令人生起這樣的時代已經過去的慨嘆。

劉香成一九九四年申請離開美聯社，結束記者生涯。他在泰國財團支持下開始創業，幾年間在香港創辦了M圖片社和《中》月刊，同時北進發展，適逢內地新派刊物井噴期。曾經的合作人名單就好像是九十年代雜誌名人榜：董秀玉（《三聯生活周刊》）、孫冕（《七日華訊》、《新周刊》）、吳泓與劉江（《時尚雜誌》），互通有無的報刊聞人從《南方周末》的左方到香港《中國攝影》的王苗及臺灣時尚雜誌創業家劉炳森。九七年亞洲金融風暴重傷了泰國，「劉香成失去了資金支持。」

這時候《時代》招劉香成回巢，出任時代華納集團駐中國首席代表。那段時間劉「跟很多北京的政府官員聊天，我說中國要塑造新的國際形象，應該跟美國媒體合作。」

一九九八年初，江澤民在中南海宴請時代華納總裁傑拉爾德．李文（Gerald Levin），劉香成作陪。後來江澤民又在中南海宴請新聞集團的梅鐸（Rupert Murdoch），劉香成也在場，宴後時任中央辦公廳主任的曾慶紅邀大家飯後小聚，「於是一行人又驅車到朝陽區」，「『參與者裡面，還有幾位重要的中國客人，包括前國家領導人鄧小平的女兒毛毛（鄧榕）和她的丈夫賀平（時任中國保利集團董事長）。』劉香成說，大家小酌幾杯，用了些果盤之後，曾慶紅起身請鄧文迪跳了一支舞。』」

在那個可塑的時期，時代華納中國首席代表劉香成憑「新聞人的直覺」，成就了一件至今尚未能完整評估其影響的盛事。「我想到一九九九年是中華人民共和國建國半個世紀，中國領導人會很願意讓世界五百強企業的CEO們親眼看到中國改革開放的初步成果。』他找到國務院新聞辦的領導，提出建議在中國舉辦一次《財富》全球論壇，雙方一拍即合。」

為了打消五百強商業領袖來不來華的猶疑，劉香成提出一個建議，在請柬印上江澤民親筆題寫的「預祝一九九九年財富論壇年會在上海舉行圓滿成功」，以示最高規格，果然「獲得了全世界商業領袖們空前的參與熱情。」

是次大會，「中國國家主席江澤民率領四十多位部級以上官員出席」，主題是「中國，未來五十年」。開幕晚宴後，中國領導人和世界商業領袖一起走到黃浦江邊，在浦東嶄新地標的華燈襯托下，仰望空中璀璨綻放的焰火表演。劉香成後來接受上海衛視採訪時說：「我感覺那個時刻，一九九九年的秋天，世界五百強公司的領導者們聚集在黃浦江邊，迎接二十一世紀的到來，那正是中國崛起劃時代的象徵。」

論壇閉幕後，數百位全球企業領袖再從上海飛往北京，參加國慶五十週年慶典，日程包括由朱鎔基總理接見的十五分鐘，結果朱鎔基發言加上問答，欲罷不能持續了兩個多小時。十月一日閱兵，「所有這次來到北京的《財富》論壇嘉賓，都獲邀請登上天安門前的一號觀禮臺。」

當時中國正努力想加入 WTO（世界貿易組織），「談判處在艱難膠著的狀態」，上海《財富》全球論壇「釋放出中國開放的強烈信號。」二〇〇一年中國成功加入 WTO。

梅鐸之後就把劉香成收歸名下，開展中國區業務。二〇〇三年梅鐸站在中共中央黨校的講臺上，「面對中國共產黨高級幹部發表演講。」事後總理溫家寶還對梅鐸說「你的演講稿我認真讀過了」。

劉香成說：「回頭看你會發現，那真是中美兩國關係的一段親密時期，你中有我，我中有你，而媒體就起到了非常重要的『潤滑劑』作用。」

「這樣的中美媒體『蜜月期』在今天看來，幾乎是不可想像的。」

是的，境外傳媒集團的中國夢，沒有實現。

中美兩國的親密時期，也已成過去，沒有逆轉的跡象。

在新時代的上海，劉香成另有一番新的作為。

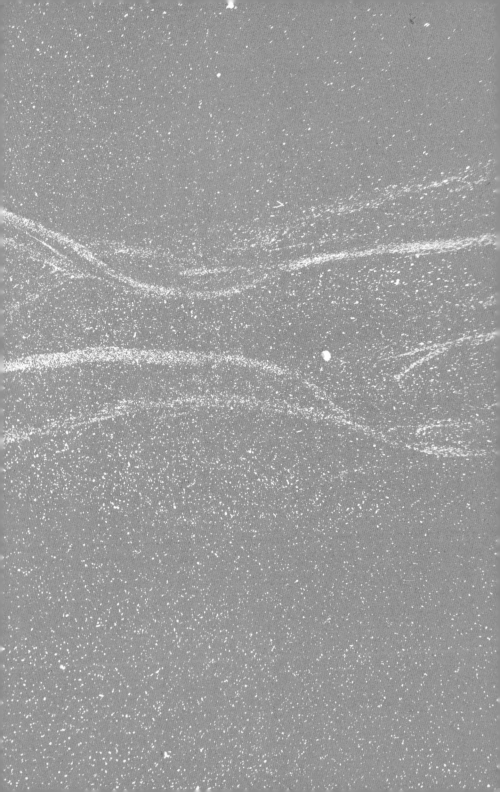

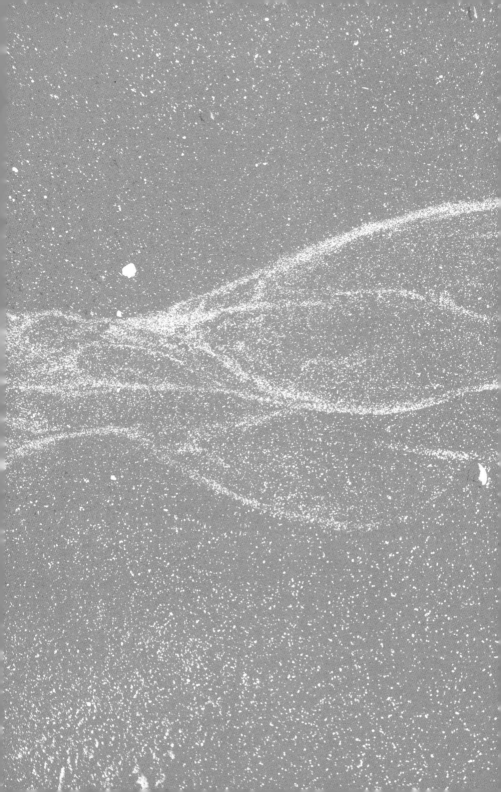

科技奇點、經濟奇點、制度拐點*

謝謝主持人。非常榮幸來到天則所，尤其感謝大家在這樣一個氣候下來聽我演講。剛剛在樓下碰到周濂，我們還在討論人無遠慮必有近憂，這麼多事情在發生，國際上、境內、境外，大家願意來聽我演講，我覺得特別感動。雖然我講的是未來，但這個未來並不是很遙遠，其實是跟現在相關的。

二〇一三年，我受香港理工大學社會創新學院邀請做駐院思想家，開始寫一本書，叫做《活出時代的矛盾——好社會與社會創新》，二〇一四年出版。二〇

* 北京《天則經濟研究所》555次雙周學術論壇演講，二〇一六年。

一四年我在理工大學也就這本書的內容做了一個大演講，講未來的科技、工作和教育。同年又受邀參加昆山杜克大學的一個《後人類》研討會，仍然是討論人工智慧與後人類狀況的。所以今天要講的「科技奇點、經濟奇點、制度拐點」也是我這幾年在系統思考的問題。

整個講題分成三個部分：第一是科技奇點；第二是經濟奇點；第三是制度拐點。這三個部分互相關連，總共有十個觀點。

科技奇點，往往簡稱奇點。奇點，本來是數學和物理學的名詞。一九九三年美國有一個科學家兼小說家弗諾．文奇（Vernor Steffen Vinge）在 NASA 做了一個演講並且撰文，他定義科技奇點是指有超越人類智慧的超智慧體出現，也就是說人工智慧的智慧體終於超過了人腦和人的智慧。這個點之後發生的事情並不是我們現在線性思維能推想的，是另外的狀態，這就是科技奇點。

未來學家庫茲韋爾（Raymond Kurzweil）二〇〇五年說科技奇點將會在二〇四五年發生，離現在不到三十年。近年他又判斷說，二〇二九年人工智慧就可以通過著名的圖靈測試（Turing test）超過人腦了。圖靈（Alan Turing）自己認為，人工智慧騙過我們，讓我們誤認為他是真人，即通過了他設定的這一測試的時間點將在二〇〇〇年發生，但是到二〇〇〇年人工普遍智慧並沒有超過人的智慧。庫茲韋爾預測說可能是二〇四五年，也可能二〇二九年，他們講的重點是科技奇點發生的時間點，可能更近也可能遠一點。但是有一天人工智慧會超過人的智慧是將遲早發生的。

圖靈有一個夥伴叫伍德，他說超智慧型機器是最後一個需要人類的發明，以後超智慧體自己能發明了，不需要人類參與。

現在的人工智慧只能做到特殊性的智慧，比如說它在每一個單獨範疇都能贏過人腦，下棋、問答遊戲，都已經贏了人類。但沒有做到所謂AGI人工普遍智慧，這是科學家都同意的。

但是資訊技術進步的速度將會非常快，就像摩爾定律（Moore's Law）所描述的一樣，當價格不變時，積體電路可容納的元器件數目，大約每隔十八個月便會增加一倍，性能也將提升一倍。英代爾實驗室（Intel Labs）主管梅貝瑞說過，這樣的進步在過去幾十年都是準確的。如果大家相信摩爾定律，所謂人工「普遍」智慧，就是人工智慧在幾乎全方位普遍範圍都勝過人腦，這個情況不是說不可能發生，甚至不一定非常遙遠。有論者說到了二〇三〇年，同時擁有所有人腦和人工智慧機器人功能的手提電腦，大概只需要一千美元，這是已經超過人腦智慧的電腦。

很多人在想奇點之後，機器人會怎麼對待人類，就是：矽體的機械的超智慧體，也或許是機器結合了某些碳體生物體的賽伯格（Cyborg）的第二種智慧物種，在它們主宰人類之後將會怎麼對待人類。

這個情況不一定是我們所想像的某一種恐怖，有很多可能性。有些科學家尤其人工智慧科學家和「跨人本主義者」會強調，新的超智慧體可以是對人類友善的，可以帶來很多想像不到的好處。不過現在大部分人也都傾向同意，所謂艾西莫夫（Isaac Asimov）的機器人三定律，已經證明不可能完全阻擋超智慧體不傷害人類。為甚麼呢？因為它們是完全理性的，它們的想像跟人不一樣，它覺得是幫你的事情也可能把大家都毀掉。比如說它看到人的智慧太低了，就像我們看到蟑螂、蚊子一樣。所以它們覺得你們是蟑螂、蚊子，可以把你消滅。也可能它們認為人就是喜歡享樂的，那就全部把你們圈養起來，好像養寵物一樣，用納米晶片附體讓你們住在一個虛擬空間裡面永遠享樂。史蒂芬．霍金（Stephen Hopkins）在二〇〇四年接受BBC訪問時就悲觀的說過，全面人工智慧的發展將意味著人類的終結。這意思是在說人工智慧的超智慧體帶來的奇點不是我們人類想要的，是壞的奇點。

我的**第一個觀點**，就是壞的奇點是可能出現的。這可能是人類技術的失誤、也可能是我們的思想、制度失誤的複合性原因。我們今天的制度是怎樣的，可能會影響我們輸入給人工智慧體的命令，然後到它超越人類的時候，它會對我們友善或者不友善。

有人提出可能不用等到科技奇點出現，人就已經自我毀滅了。考古人類學家、歷史社會學家伊恩．莫里斯（Ian Morris）用了艾西莫夫小說「Nightfall」一詞（「Nightfall」小說名稱中國翻譯成《日暮》，這裡我譯作「夜幕」。）他說不見得我們等得到奇點，奇點還可能有好有壞，夜幕只能是壞的（對人類而言）。他引用當年天文學家卡爾．薩根（Carl Sagan）的一個詰問，薩根問：全宇宙這麼多高等文明，為甚麼到今天都沒有來聯絡我們，我們也找不到他們？根據天文學說的德雷克公式（Drake equation），宇宙應該有有兩千億萬個銀河系，所以計算出大概有一兆個生物的文明，竟然沒有文明聯絡我們，我們也沒有聯絡到他們。這是為甚麼？這是薩根問題。其中一個答案也是比較多人支持，就是所有高等文明到一定高等程度的時候，它們的科技就把它們毀滅了，所以根本沒有存在的高等文明，越是高等的越是會馬上全體毀滅，所以到不了和我們聯絡的階段。

我的**第二個觀點**是，雖然理論上三十年可以到奇點，但我們可能等不到，以目前的情形看科技越發展，我們毀滅的機會反而越大。科技奇點出現前，人為科技已經帶來人為夜幕。

我簡單說說有甚麼會引致人類文明全面毀滅，非人為的我們在此不談，比如別的星球撞上了地球等等。人為的一級的災難都跟科技有關。第一，現在就可以發生的，就是核子爆炸。核爆可以是很多種情況，一是恐怖組織引爆核彈，有一個專家格雷厄姆·艾利森（Graham Allison）說十年之內發生恐怖核爆的機會是百分之五十一，而且最近有美國專家也說恐怖組織在大城市連續引爆核子炸彈的機率非常高；二是核子武器的擴散，越多國家擁核，風險越大；三是現在中、俄、美都在發展精確的核武，越精確的核武使用的機率會越高。當然還有一種情況就是現有核電廠，發生大爆炸。核爆就可以把人類一下子毀滅或導至核塵嚴冬。如果這樣我們就不用等到奇點了。第二就是其他科學發展，有幾種科技可以讓全部人一下都毀滅。一是所謂納米科技的複製能力（ecophagy），納米分子不斷自己複製，可以很快把地球包裹起來；也有人說，量子加速器會使地球全部毀滅；第三種就是史上最有殺傷力的病毒都在實驗室保留，如果放出來，可能也會死很多人，差不多能毀滅世界。

我們今天談的主要是在科技奇點之後，發生的人工智慧超智慧體帶來的壞的「夜幕」奇點。就是超智慧體不友善，它認為人太低級，所以把人消滅，這不是不可能。但這是科技奇點之後，人為製造出來的東西最後導至人本文明和「人類世」結束的「夜幕」。

我的**第三個觀點**，就是到達科技奇點或人為「夜幕」出現大的災難之前，今天的人類已進入一段頗長的「過渡期」。換句話說，從現在開始計時的話還是有時間的。現在我們身處的是一個過渡期。

人文社科學界到今天還是會低估科技的衝擊，這個在以前問題沒這麼大，但是在今後會很嚴重，這是提速時代，如果科技奇點是三十年後，我們可以想像今天到三十年後的過渡期的變化，科技衝擊會多大，遠遠超過我們前三十年的想像，這是非線性的飛躍。

科技奇點部分先介紹到這，現在說第二部分經濟奇點。

關於經濟奇點，我這裡也只集中談科技對經濟的衝擊，只談某些科技，只談這新一輪的自動化，這裡面包含了人工智慧、機器人、電腦等等複合的新技術對經濟的衝擊。暫不談其他改變世界的元素如資本、生態、地緣政治；暫不討論納米技術，或跨人類的人機合體、人腦與電腦連結，或基因改造、克隆、腦神經智能強化、生命加強加長再生的擴張熵以及不死與復活技術等等。

觀點之四，科技奇點之前，一定會有經濟奇點。

特殊人工智慧自動化科技發展快速，不用等到普遍人工智慧帶來的科技奇點的到來，現有分工的人力工作就已將大範圍被機器替代，經濟會發生徹底的變化，全民就業無望，這就是經濟奇點。經濟奇點是技術性失業導致無可恢復的長期的結構性失業，這是人類勞動性質的改變。

經濟奇點可以是好，也可以是壞，可以帶來我們想像不到的物質的充裕，可以讓我們更方便、更舒適，會帶來很多神奇的性價比非常高的消費品，給我們大量的空餘時間，這都是有可能的。但大規模失業這個現象一定會出現，就是所謂技術性失業。

我們知道結構性失業在歐美已經出現了，就是適齡就業人口和崗位不對稱，有工廠外移，工作外流的問題。現在一些國家統計失業率已經把放棄找工作的人不計算在裡面，而且非充分就業的人也很多，比如原來有高等學位的現在只是在做零工。在發達國家，靠政府救濟的失業人口將越來越多。

下一輪的自動化可以代替大部分現有工作崗位，導致非常大規模技術性失業，無可恢復，這才是關鍵。凱恩斯（John Maynard Keynes）在一九三〇年說過技術失業，二〇一三年牛津大學兩位學者研究七百零二個美國行業，他們說十年之間受威脅和淘汰的將佔百分之四十七，就是差不多一半工作都會被淘汰。製造業的員工不用說，美國百分之五十的崗位都是普通服務業，比如速食、司機、零售、建築、快遞、倉儲、酒店、機場、娛樂場所，另外加上「中產」的法律文員、教師、秘書、一般醫務人員等等，很大部分職業、職務、崗位會被替代，將來可能只剩下高管和有某種特殊技能的人以及資本的掌控者等需要人類就位的好職業，其他的工作位置也許更多是特別醫護、僕傭、管家這類的，因為收入的急劇拉開使得錢特別多的人可以請很多傭人、請管家，好像十九世紀一樣。

麻省理工的兩位學者在二〇一四年出了一本書《第二個機器時代》，說樂觀來看經濟奇點快到了，可以是消費者的樂園，很多新型工作會出現，而且消費品特別多。悲觀看，就是分配不公，雇員崗位減少，財富拉開。他們以國際象棋的六四格的棋盤做比喻，如果每一格是上一格的翻倍，現在人類的科技是在第三二格，再翻一倍的效應是很大的。

根據以往人類的經驗，很多人會認為，不要緊，新科技導致的失業沒問題，馬上可以有新的崗位出來，淘汰一些舊的行業，弄一些新的行業，不行大家就轉業，社會提供新的教育方法，讓大家適應這個轉變。但是問題是這次會不會是不一樣？這是最重要最關鍵的問題：這次，新就業崗位的出現速度，遠遠趕不上被淘汰的崗位。

諾貝爾獎獲得者列昂季耶夫（Wassily Leontief）一九八三年說，拉車的馬不知道自己會被永久淘汰。從農業社會轉到工業社會，馬不知道自己會完全不被需要，只將是做娛樂表演，做一些邊緣的事情，功能完全轉變。他就斷言說這次人類作為生產要素的功能一定會降低，就像是馬在農業生產和工業生產裡的角色轉換，開始是減少，最後是完全淘汰。這已經在一般經濟學的設定之外，這次沒有新工作出現了。這次真的不一樣了。

斯坦福大學的尼克．布魯姆（Nicholas Bloom）二〇一三年說經濟學界傾向同意現在已經出現技術性失業。二〇一四年達沃斯論壇（Davos Forum）也同意這一點，就是技術性失業，是由自動化引起的，並將此作為達沃斯當年的主要共識。蓋洛普調查公司（Gallup）的CEO二〇一一年寫了一本書《未來的工作戰爭》（The Coming Jobs War），說下一輪的主要糾紛就是因為沒工作，下一輪的衝突就是尋找工作，國與國也好，一國之內也好，都是這件事。這已經先發生在發達國家了，他們有結構性失業，把工作轉到外面，現在加上自動化引起的技術性失業。但是發展中的新興工業國家也很危險，最窮的國家可能變化不大，反而發展中新興工業國家，有工業化和服務業的國家很危險，因為製造業馬上受衝擊，很多服務業也會受衝擊。比如，許多做月餅的公司都在自動化。月餅是高利潤產業，但是一年只需要幾個月生產期，熟練工人非常難找，所以他們絕對有動力加快轉變成自動化。這種情況在中國已經出現，而且政府也一直強調要發展自動化，但這樣，製造業和服務業會失去很多崗位，這意味著中產階層會減少，因為資本回報一直比工資增長更快，所以資本會轉投自動化，拿到更高的回報，這也會引致貧富兩極分化提速。

經濟奇點會倒逼社會做出制度性的回應，首先大致在這兩方面：第一，因為太多人失業需要救濟，失業救濟劇增，社會福利制度負擔不起，而且因為工作崗位消失，全民就業根本無望，福利、救濟再也不能和工作掛鈎，要求人們回去找工作。經濟奇點出現，根本不可能有新工作，福利和工作就不能掛鈎了。第二消費需求不足，沒錢了，因為沒有工作，有效需求總體下降，經濟就沒法運轉。另外在「後福特時期」，社會已不太可能達成共識，一起協商一起減工時來維持人人就業。

觀點第五，自動化導致的大規模技術性失業，將倒逼出管制的拐點。

一種可能性是出現更兇的權貴寡頭集權。因為要壓制失業的人。另一種可能就是失業者大軍成了改革主體，倒逼政府用創新方法做二次分配，甚至可以逼出一個制度的拐點，危機反而成為契機。現在有論者說社會找不到推動改革的行動主體如以前的產業工人、貧下中農或失意讀書人，但是到大家都失業的時候，這個主體就出現了，所以這也會是一個契機。

我已經大致談完科技奇點和經濟奇點這兩個部分，還有第三部分制度拐點，可能是大家比較有興趣的，但是我現在要做一個小結，把前面的論點歸納一下。

首先，科技奇點遲早會來，可能是三十年，可能是更長時間，但是它會來到。它來到之後，人類文明是怎樣的，它對人類是好還是不好？這是跟我們人類給下一個智慧體輸入甚麼資訊進去是有關的，如果我們的制度不好，我們的動機和世界觀不好，給進去的東西肯定不會好。

第二，科技奇點出現之前，有可能已經到達「夜幕」，就是人類已經完了，自己把自己滅了，因為現有科技已經可以做到這一點。

但是第三，在這之前的過渡期，會看到一個經濟奇點，經濟奇點可以好，也可以不好。經濟奇點的意思就是「這次不一樣」，與人類之前幾百年來經濟運行的方式不一樣，永久結構性大失業，讓我們面臨可能十年、可能二十年後的結構性的、無可恢復的失業狀況，因為人工智慧自動化會提速，在個別的行業崗位上勝過人的體力與腦力勞動。光是科技這塊就對社會有這麼大的衝擊。怎麼辦？有甚麼新思維、新招數來應對？

現在談第三部分，制度拐點。

觀點六、一個出人意表的「新」的政策主張提上了全球議程。

這幾年突然特別多人提出、或者認同一個方案，是一個反直覺的大熱門的、對應技術性失業的方案，充滿爭議性，叫做「基本收入保障」（Basic Income Guarantee），或者叫「普遍基本收入」（Universal Basic Income），就是國家向每一個成年國民，無條件定期發送基本生活金。

打比方說，一個美國人需要五千美金一個月才能有基本溫飽、有地方住、有公共交通費和一點零花錢，所以，每個美國成年人每月都由美國政府發送五千美元。就是這個意思，無條件派錢。

這有可能嗎？有道理嗎？為甚麼它是有道理的？

這是受到可能即將來臨的、大規模長期技術性失業倒逼出來的對應政策。

首先每個國家的個人和家庭一定要有收入才能生活，這是最基本的，這樣社會才會穩定，大家不會恐慌，不會亂，因為能夠活下去了。

第二，經濟要保持有效的需求，民眾要有錢也願意花錢消費才行。所以有保障的基本收入很關鍵。

第三，它可操作，很簡單，不需要太多官僚體系資源，很難作弊。現在的科技，只要有銀行賬戶，錢當天會到賬，不到賬就是有問題，就會有人抗議，作弊的機會很少。大家都瞭解，在很多國家，政府的撥款經過層層官員會發生貪腐、克扣、延遲。而這個做法因為簡單直接反而不會。

第四，替代了政府各種繁瑣的社會救濟花費的錢，很多救濟款項可用派錢取而代之。

第五，這個做法兼顧了平等和自由，這是很關鍵的。平等不用說了，每個人同樣都能收到這個錢。自由是甚麼？基本上每個人自己決定怎麼花這個錢，沒有附加要求，你要怎麼花你自己決定。想多賺錢的就繼續找工作賺錢，或去投資，不想賺錢的，或沒能力，沒時間賺錢的，比如單親帶個小孩的，就可以暫時不做事，完全可以減少官僚行政的干預。

一個兼顧了平等和自由的分配方案，是可能會達到左、右共識的。讓我們回頭來看看誰會贊成這個方案。首先提幾個名字，海耶克（Friedrich August von Hayek），海耶克在一九七六年和一九九四年都清楚地說贊成這樣的派錢制度。弗里德曼一九六二年提了一個相似的方案叫負稅方案，後來他還支援尼克森總統（Richard Nixon）推行的派錢計劃。那是一九六九年，共和黨的尼克森總統第一任的時候提出了一個家庭資助計劃，用的就是向每個家庭派錢，派基本生活費這個方案。當時有一千多個美國的經濟學家支持，包括弗里德曼，還有被認為是自由主義者的，如托賓（James Tobin）、薩繆爾森（Paul Anthony Samuelson）、加爾布雷斯（John Kenneth Galbraith）等。不過一九七〇年這個計劃被參議院否決了，沒通過。但是在尼克森競選第二任的時候，他的民主黨對手麥高文（George

McGovern）也把這個派錢方案納入政綱，後來尼克森連任成功，想再推行這個計劃，但是因為水門事件（Watergate scandal）下臺又沒有做成。想一想，如果當時尼克森成功推動了這個方案，不僅整個美國社會都會改變，而且必將影響全世界。雖然後來民主黨的卡特總統也曾推動過這個方案，但到了八〇年代後，各地的知識精英好像全都忘了這件事情。

其實普遍基本收入這個想法也不是上世紀六〇年代那個時候才有的，實際上十六世紀以至稍後啟蒙年代的孔多塞（Marquis de Condorcet）與潘恩（Thomas Paine）就提出過這個主張，十九世紀的烏托邦思想家傅里葉（Joseph Fourier）也主張這個制度。英國的約翰·米爾（John Milton）、羅素（Bertrand Russell）都推崇這個制度。另外一九七七年英國諾獎經濟學家詹姆斯·米德（James Edward Meade）在《效率、平等和財產所有權》（Efficiency, Equality and the Ownership of Property）這本書裡面也主張財產所有民主制，這部分稍後我會再談。在蘇聯解體之前，東歐主張市場社會主義的經濟學家奧斯卡·朗格（Oscar Lange）也曾贊成用這個方法代替指令經濟。目前在荷蘭、西班牙各國都有經濟學家在討論普遍基本收入這個方案，更有哈貝馬斯派學者（Habermasist）要求全歐盟實施基本收入保障。

現實中，類似的全民派錢已經在有些地方實行：阿拉斯加的石油基金就是分錢給所有阿拉斯加人；美國印第安人保留區裡的賭場也做這個事情，把賭場盈利分給印第安人；瑞士公投輸了，但是芬蘭、多倫多在做實驗；中國有一個地區也已經做了很多年，就是澳門。澳門政府每年給每一戶居民送錢；香港也做了幾年，財政收入太好了，就分錢給大家。但上述這些實例並不是基於基本收入保障的原則，雖然澳門分的錢相當多，已經很接近。澳門可以隨時第一個變成實行基本收入保障的中國地區。

局部性調查更多，比如有機構在印度做過一個實驗，每個月發送三點二塊美金給一群婦女，發現當她們能夠自由安排支配這小筆錢的時候，生活就發生了改變。還有小規模的實驗，比如把街頭流浪漢叫過來，給他們錢，他們很多就離開街頭了，解決了街頭流浪者的管理問題。直接派錢是很有效的。

全民派錢這個做法更可能很急進的衝擊現有習成的社會形態，就是分工式全民就業，上班才能受薪，拿到薪水才能生活，這樣一種資本主義和共產主義國家同構的大工業化、大企業、大官僚的形態。全民派錢則會催生新的經濟模式及社會組合方式、新的三觀，由基本收入政策引發制度改革。

那麼，我現在**第七個觀點**是，前述大規模長期結構性、技術性失業到來前，政府應否推行基本收入保障、人們是否應該甚至值得像上世紀許多國家爭取福利制度一樣去爭取基本收入保障？這將是以二十一世紀平等派錢的普遍基本收入保障制度來補足與修正二十世紀福利制度的大變革。

質疑當然是鋪天蓋地的，但主要是來自兩方面，第一個是技術性的，錢從何來？第二個是倫理性的，不勞而獲，人的尊嚴和意義何在？第二點我最後會談到，現在討論錢從何來？

首先實行普遍基本收入，一部分的錢是可以省出來的。從何處省？就是減掉各種相關福利救濟、各種社會福利機制、各種官僚行政費用成本。同時，還可解決現代福利制度下的「貧窮陷阱」。大家知道，在很多國家領救濟金的人是不准工作的，他不敢去工作，因為怕取消他的救濟金。為甚麼？因為救濟金和工作掛鉤，只要發現你在外面賺外快，就說明你有工作能力，就可以取消你的救濟，這就形成一個貧窮陷阱，貧窮的人不願意上班，因為上班也很難得到長期合約保證，工時很長，薪水不高，反而會失去失業救濟。但是如果基本收入保障和工作不掛鉤的話，你可以彈性上班，比如你可以幫人家看小孩，或做點零工，可以多賺點錢，為甚麼不去呢？

錢從何來？這是最多人在研究的，主流還是認為從累進稅、遺產稅、資本增值稅、消費稅徵收，也有主張徵收特別稅的，比如地稅、托賓稅，或者是徵收資源使用稅也可以。

還有主權基金。現在很多國家有主權基金，或石油基金，阿拉斯加已經這樣做了，把石油的錢分給大家。

也有些地方已經用上盧德主義（Luddism）的方法，這是比較反動的方法，譬如美國新澤西和俄勒岡，加油站不允許司機自助加油，以保障油站工人的崗位。

有人主張抽自動化的稅，但是這個不好辦，因為自動化無處不在，很難界定。還有主張未來要實行自動化、需要解聘人的時候，要保留虛擬雇員在賬簿上繼續賦稅，這是新型盧德主義。

負稅是弗里德曼（Millton Friedman）提出來的。

另也有人主張以最高收入設限，彌補收入不足之人，如此就不會多印鈔票，沒有通貨膨脹。

也有人提出一步步來，不要一下子就到全額基本收入保障。

還有人提出新技術的公有，主張新技術發明並不只是發明家的發明，是整體社會的累計，所以發明的成果不應該讓寡頭的人佔有。也有人認為資訊使用應抽稅，許多企業用我們這麼多個人資訊數據做賺錢的事情，沒有分錢給貢獻資訊的大眾，所以應該抽大資訊數據企業的稅，即「比特稅」，這些公司使用了多少資訊就應該抽多少稅給大家。

總之錢從何來，有很多方法。如果把新資源、新技術產權平等分享，加上遺產稅和收入累進稅，加上主權基金，還有國有企業的利潤分配，就已經接近另外一個制度可能性了，就是財產所有制的民主制，這與一九六四年米德和之後羅爾斯的提案，已經很接近了。

觀點第八，所謂財來有方，普遍基本收入是可以有錢來做的，問題在於政治力量的較量，社會共識，政府二次分配的力度和意志力。

在基本收入保障的基礎上，可產生的正面效應有很多。首先是穩定經濟，國民有了經濟安全，可以放手消費，保證經濟的總體需求，錢派給窮人的一大好處是馬上會帶來消費。第二，消除了溫飽等極端的貧窮問題，人人得以享有免於匱乏的權利。第三，無償勞動價值受到肯定，比如帶孩子的主婦、幫助去看護有需要的親友的人。第四，有利於經濟創新的長遠機制。更多人會願意在家裡面琢磨研發，或做一些低回報的文化工作，甚至可以讀書，接受新的訓練，這些都有助於科技、社會、文化創新。第五就是產生 GDP 以外的所謂「社會經濟」、「分享經濟」，本地化的貨物交換市場和可以易物交易的民間貨幣，促進社會性義務勞動和公民參政能力。第六個好處，這是政府支持下的平等和自由的重大政策，一定會引起社會變動，將會推動管治的變化。

觀點九，這可能是政治經濟制度改革的推動力，朝向建立自由平等的正義社會。

一九六四年思想家馬庫塞（Herbert Marcuse）說，要充分發揮科技潛力以減少人類痛苦，需要急進的社會改變。就是說，只有社會制度的再設計及帶來的改變，才能使科技進步的好處惠及全民，而科技帶來的痛苦也由全社會較平均的分擔。

比利時思想家伯里斯（Philippe Van Parijs）是基本收入保障的主要論述者，他寄望基本收入保障成為自由、平等觀念下的分配正義的基石。

普遍基本收入或基本收入保障，現在得到特別大的迴響，在於不同的規範性政治理念都可以接受它。比如市場放任主義者、共和主義者、社群主義者、社會民主主義者、女性主義者、持份者社會的論者、無政府合作主義者、政治儒家法家墨家伊斯蘭的支持者等，都不與之牴觸。基本收入保證加強了個人的能力，與阿馬蒂亞．森（Amartya Sen）、努斯鮑姆（Martha C. Nussbaum）的能力進路也很相配。

說一點題外話，關於馬克思（Karl Marx）一九四〇年代才發表出來的《政治經濟學批判大綱》（Grundrisse der Kritik der Politischen Ökonomie）。這是馬克思一八五八年寫在《資本論》（Das Kapital）之前的，但是生前沒有發表。研究者發現這部大綱裡面有很多《資本論》中沒有的觀點，包括被認為是最不像馬克思主義的馬克思觀點。其中有一些篇章現在被統稱為「機器論片段」（Fragments on Machines），馬克思當時寫到：只有到了機械代替了人力勞動，所有人都發展出來一種「普遍智慧」（general intellect）的那個時候，資本主義和「抽象勞動」（abstract labor）的階段就過去了。

就科技發展終結了抽象勞動的議題，法國思想家高茲也曾對當下世界提出過大哉問：人類到底是要「野蠻主義的還是文明的脫離資本主義」。

政治哲學上最強調自由和平等，以公平作為正義的羅爾斯（John Rawls），他所贊同的財產所有制的民主制，是來自米德一九六四年的《效率、平等和財產所有權》一書，而米德當年即支持基本收入保障。米德這幾年比較受重視，一是因為皮凱蒂在《二十一世紀資本論》（Capital in the Twenty-First Century）裡說自己是繼承米德的事業，二是因為羅爾斯在晚期支持米德的財產所有制的民主制。

羅爾斯早期談論正義，但是對具體的體制談得不多，直到晚年才在《作為公平的正義：正義新論》（Justice as Fairness: a restatement）這本書中提出五種制度，這五種制度中他自己最支持的就是米德的制度，就是財產所有民主制。羅爾斯說他自己的政治哲學是一種可實現的烏托邦思想，並不完全是理想型的，他的理想是可以實現的。羅爾斯談到的五種現代制度，即放任資本主義、指令經濟社會主義、福利資本主義、民主市場社會主義、財產所有民主制。他認為只有最後兩種符合他的自由和平等的正義。第一種放任資本主義他認為不平等，第二種指令經濟社會主義不自由，他認為福利社會的資本主義還不如後面的民主市場社會主義和財產所有民主制兩種，因為福利資本主義沒有限制財產擁有的集中化。羅爾斯沒怎麼討論民主社會主義，很明顯他的首選是財產所有制的民主制。財產所有民主制與福利資本主義的分別是，前者讓全民在資產擁有層面得到分享，而後者則是以資本盈利後的抽稅做二次分配。

在中國討論過財產所有民主制的有周濂與崔之元，周濂論述過米德和羅爾斯的思想，崔之元也認同這個制度，非常熱情的以之配合「重慶模式」在推薦。反而對私有制特別擁護的右派經濟自由主義者對此好像沒有特別投入關注。

剛才談論的大都是一國之內的情形，那麼從一國之內到全球又如何呢？很多人也在做研究，包括有很多組織主張全球基本收入保證。他們認為應該從全球出發從嬰兒開始派錢，以一美元一天作為標準，因為這是聯合國所制定的貧窮標準。每個國家所有人都有一美元一天的話，第三世界、第四世界經濟和社會就可能完全改觀了。

在經濟奇點之後，人類政治社會的取向，是會影響以後的科技奇點的。一個支持不公平社會的制度，支持貧富兩極化、權錢勾結的制度，一定會發展很多壓迫性技術，這種壓迫性技術會誘發人工智慧價值觀的偏向。到科技奇點之後，人工智慧體把這個邏輯推進，對人類將是不利的。所以只有全球同時合作，才能妥善的面對科技奇點，也才可以阻止「夜幕」的降臨。這也是我的**第十個觀點**，就是政府、公眾需要同時支援平等自由的社會制度，列強各國必須促進全球協調治理，減少人類社會矛盾，方可能來得及對科技奇點產生比較好的影響。

最後我想再強調的是，在科技奇點來臨之前，經濟奇點是可以使人類文明更趨完善，成為人類生活、文明、方方面面最輝煌的時候的。人類如何處理經濟奇點之後的世界，會影響以後的科技奇點，科技奇點就是超智慧體，第二種智慧物種主宰人類新世界的來臨。

這就是我今天想要講的，謝謝大家！

（以下部分是在四位講評人發表意見之後，陳冠中的回應）

謝謝大家，今天聽到很多回應，我學到很多東西。這裡面有些質疑評論，我在看有關文獻的時候看到過，有人辯論過，比較容易回答，有些在這個範圍之外，也回答不了。

今天我主要是提供一個思想的認知地圖，所以很多觀點討論得非常簡單。這個地圖裡面在一般的所謂左右意識形態陣營來說都有不同反映，比如說在資助基本收入情況下，有人提抽稅，有人希望在資本層面大家分紅，還有一些提出減少福利制度等等其他方法。

但是，我勾畫這個地圖，向大家做報告，是引經據典的有出處的，用意是讓複合的問題意識成為一個有啟發性的論述。我自己覺得這是社會改良者現在提出的最宏大的一個說法，恰恰因為我們很多年沒有人提出更好的想法，現在提一個能連貫起來的論述，希望大家考慮一下。

回到前述的科技奇點、經濟奇點、制度拐點三部分：

第一部分：會不會有科技奇點？剛才有人說人類會處理它，所以重點是人類，如果人類弄的比較好，這個科技奇點可能對我們不會太壞。制度、個人、組織、政府、企業，他們如果能協調，加上全球協調的話，我相信會迎來比較好的科技奇點，都是推測而已。如果還是現在這樣的社會，各自發展人工智慧，為了壓倒對方，為了管理人民，我們製造出來的人工智慧智慧體幾乎一定是壞的。

還有剛才說的阿爾法狗（AlphaGo），阿爾法狗是特殊人工智慧，現在遠遠沒有到普遍人工智慧，普遍人工智慧要達到完全複製人腦。現在人腦的地圖可以畫出來，但是要複製人腦以至人工智慧要有自我意識，這才達成一般意義上的普遍人工智慧，人工智慧有自我意識的時候就完全不一樣了。現在沒到這情況，有人說很快了，但是也有人說發展很慢，這是科學家在討論。

第二，經濟奇點。我們不想做盧德，我們不想反對科技發展，因為科技會帶來很多好處，我們都在享受它的好處。但是如果科技這樣的提速，經濟奇點會不會發生？兩三百年工業化、資本主義社會我們已經習慣了，好像是我們的常態，但是會不會有另外一個從農業到工業之後的下一步的社會呢？（現在所謂的「認知資本主義」，和以前制度還沒有完全決裂）。萬一這次就是不一樣，萬一這次就是通過自動化出現工作崗位的消失，這會怎麼樣？這可能是好事，我一直說有好和壞的，凱恩斯一九三〇年說的，以後人類最大的問題是太多餘閒。我認為這是好事。但是要面對的問題是工作崗位的消失，就是所謂經濟奇點。

第三，經濟奇點之後我提到的制度拐點分兩部分，一個就是現在很多人提出的方案，就是基本收入保障。基本收入保障是有不同立場的人支持的，所以這麼熱門。但是他們支持的原因不一樣，有些是強調自由，有些是強調平等，有些覺得這樣子才是符合我們的知識經濟即所謂認知資本主義，因為大家都可以有時間發明他應該發明的東西，各種創意會出來。各種說法都有，正面效應是有的。

說到第二點，為甚麼說財產所有民主制呢？因為一般來說抽稅就是最簡單，但是有些人恰恰認為這個不好，抽稅是在後面，就是錢分好之後做第二次分配，資本還是會過度集中。但是如果在前面呢？就是生產財富的源頭上就分享給大家，而不是到最後賺了錢再抽稅，這是不是另外的考慮呢？這就很接近米德或者羅爾斯理想中的財產所有民主制。羅爾斯認為這個制度和福利制度不一樣，也和市場社會主義不一樣，是另外一種保障私產的制度。這個羅爾斯想法或許值得我們探討，現在具體制度上怎麼弄還不太清楚。在政治上怎麼過渡到這個制度？更不清楚。有相當多的學者在研究到底是不是真的還有一種制度叫做財產所有民主制？這個財產所有民主制在米德那裡是屬於左的立場的，但是其實這個制度，開始時是英國保守黨提出來的，是對抗工黨國有化理念的一個想法。所以現在也有人說，今天支持財產所有民主制的可能是右翼而不是左翼的。

最後，我這裡談一下不勞而獲和工作尊嚴的問題。

就業才有收入、打工才能養家糊口只是這個大工業時代的慣例，大部分「工作」只是為了「受薪」，無尊嚴可言，也不是人人可以自選有意義的工作。

現有制度下，不勞而獲者甚多。資本尋租階層和他們的從屬也可算是不勞而獲。

重點是技術性失業讓全民就業無望，大多勤奮的勞動者都要失業，這是社會整體要面對的新現實，對「工作」的定義要改，個人的三觀也要進化適應。

甚麼叫有意義的工作、真的非異化的勞動？有沒有這個可能？如果有可能的話，也是在人工智慧的機器自動化之後才真的大範圍的有可能。之前是不可能的，必須要有人從事勞心勞力的異化勞動，以及付出販賣生命時間換取報酬的「抽象勞動」。用科幻作家亞瑟．C．克拉克（Sir Arthur Charles Clarke）的話：「未來的目標是全面失業。」

美國詩人羅伯特．弗羅斯（Robert Frost）寫過一首詩叫做《黎明時刻的兩個流浪者》（Two Tramps in Mud Time），說的是一個詩人到美國某處郊外渡假，在自己住的小木屋門前砍柴自娛。兩個失業流浪漢走過來，邊看邊議論說，你的技術不行，給我們點錢，交給我們做就行了。詩人就想我是為了娛樂自己才砍柴，而他們是為了賺錢以存活才要幫我做，哪個比較迫切呢？他的詩最後一段是這樣的：

吾底人生目標乃結合

愛好與志業
就像雙眼成就一景
只有當喜愛與需求合二為一
而工作僅是凡人投入的遊戲
大業才永告完成
為了天堂以及為了未來。

人類如果有一天真的是所謂解放了，還是需要把苦工這個東西解掉，把販賣生命時間的「抽象勞動」解掉，回到我們兩隻眼睛看景一樣的，你的愛好和你的工作合二為一的情況。當然這種理想現在只能在很少數人身上實現。只有在高度自動化的情況之下，在未來科技發展的情況下，這種合二為一的自選勞動才可能普遍實現。

我簡單回應這些，再次謝謝大家！

講事實！*

「不黨、不賣、不私、不盲」——張季鸞

「意見大可自由，事實不容歪曲」——查良鏞，出自曼徹斯特衛報的
"Comment is free, but facts are sacred"

"There is one sacred rule of journalism: the writer must not invent... NONE OF THIS WAS MADE UP" ——韓約翰（John Hersey）

「我們的共和國和它的報業同起同落」——約瑟．普立茲（Joseph Pulitzer）

「在普遍欺詐的時代，說出真相將是革命性的舉止」——喬治．奧威爾（George Orwell）

---

* 原載《亞太新聞評論》創刊號「給記者的信」欄目，二〇二一年。

年輕的時候我曾經當過日報記者，也曾替雜誌寫過調查報告，本來想在這裡以指定的兩千字左右跟大家輕鬆的分享經驗，但因為現在的情況太令人擔憂了，輕鬆不起來，決定不避古肅老派之譏，直抒己見。

有些話值得重覆說三遍：講事實、講事實、講事實，或，報導真相、報導真相、報導真相。這是中外自由新聞專業的第一號天條。不遵守這條，就不算自由新聞專業，其媒體就不是自由新聞專業媒體，其從業員就不是自由新聞專業從業員。

自由新聞人最需要堅持的專業倫理是新聞無妄語，即以最大的誠信講出事實、報導真相、不造假、不歪曲，並盡量做到不偏不倚、不以偏概全。當然，想要講真話就先要恪守——在個人層面，也在媒體機構層面——不黨、不賣、不私、不盲。這些道理曾幾何時還都是不言而喻的。

同樣曾經容易辨別的是，很多媒體和新媒體並不是自由新聞專業媒體；它們只是商業操作、企業公關、有償報導的平臺，或是煽情抓眼球謀利的工具、蓄意說謊惑眾的造謠源、不查證就盲目搬運的中介、為了政治利益或意識形態立場不惜歪曲事實的宣傳機器。

以講事實為天條的自由新聞專業是近現代人類文明的一大發明，不超過二百五十年，到上世紀方站穩陣腳，二戰後其專業準則得以穩步優化卻未臻完善，業界人才輩出但良莠不齊，跟有共生關係的全球自由民主制度的狀況和進度差不多，得來太不容易，然至今仍未能普世。世界上有頗大一部分地區不存在或不再存在自由新聞媒體，剩下的只是黨媒、政權的宣傳機器或被圈養在籠子裡，假藉新聞媒體之名的信息收集過濾操控發布平臺。

幸而有些地區確實存在（或華路藍縷尚在建設）可信的自由新聞媒體，有足為同業楷模的紙媒體、電子媒體和新媒體。但在這些地區，自由新聞媒體和從業員現在正承受著巨大的壓力甚至猛烈的圍堵攻擊。這種趨勢下，讓事實說話、使真相不至湮沒將越來越困難。第四權旁落就是公民知情權的萎縮，意味著多元開放的公民社會和自由民主憲政陷入失衡險境。

壓力來自供給方、需求方、政治的當權者和極端對立派別。無可諱言信息科技帶來巨大的衝擊，特別是在無線網絡和智能手機全面普及之後，不少傳統新聞媒體滑落，讀者和廣告量流失，養不起專業記者，做不了深入報導。一些網媒和自媒體為吸引流量並得到名利報酬，如同當年報業的黃色新聞期，往往以偏激和煽情的出位手法蹭熱點，甚至不惜造謠。每個社交媒體的用戶都可以自成新聞源，訊息量激增，真假新聞難分，主流媒體不足以把關，反被認為知情不報。造謠一張嘴，闢謠跑斷腿，好壞迷因如病毒高速散播。政治上當權者一貫嫌第四權礙事，妨礙權貴為所欲為、掩蓋真相，從來就不遺餘力攻擊自由新聞專業，讓大眾不相信獨立新聞媒體而相信當政者及其喉舌。黨棍政客都想左右民粹情緒，分敵我、帶節奏，鼓動民眾打民眾，結果社會撕裂加大，陰謀論橫行，對立陣營的健筆名嘴網紅各投其好，立場先行而不講真相。這些亂象，相信各位已耳熟能詳，不贅。

情況可能要再壞一陣才轉好。傳統媒體現已漸懂新媒體之道，網民也已開始習慣付費，看樣子一些自由新聞媒體能存活下來。恪守不造假的網媒和自媒體也會陸續登場並站穩陣腳，奪回一部分的眼球。謠言和陰媒論契合人性弱點，仍很有市場，但也讓另一些人更堅定的守護可信的媒體。經過這幾年的大磨練，許多人擦亮了眼睛，覺醒了，明白到自由的政體與新聞媒體共榮共辱的道理。

在這個好人蒙難、佞人囂張的時刻，以新聞為志業者一定要耗得住，篤守講事實、不造假、不瞞真相的原則。只不過抵住外在壓力之餘，還得克服各種心中掛礙。我試簡述其中三種。

一是質疑有沒有事實和真相。幸而這個後現代虛無潮在哲學上和實踐上近年已漸消退。喀麥隆作家蒙戈．貝蒂（Alexandre Biyidi Awala）曾痛斥歐洲同行說，當非洲作家以寫作拯救饑餓孩童和抵抗暴政的時候，你們卻犬儒地在玩弄概念，說甚麼書寫出不了真相。

二是當事實與自己的政治立場有牴牾的時候，孰重？英國作者喬治．奧威爾參加西班牙內戰是為了反抗法西斯，但他發覺自己陣營的斯大林分子殘害其他非斯大林派的反法西斯同道，他要如實寫出來嗎？奧威爾寫出來了，有人罵他破壞反法西斯陣營的團結，他的文章一度在英國還發表不了，但奧威爾堅持說：講事實比自己那方的的政治有效性更重要。後來我們都感謝奧威爾做了這樣的見證。

永遠不要為了一時的政治功利理由妄顧事實、背離真相。

三是在滿天謊言的時代，講事實有用嗎？奧德裔的彼得·德魯克（Peter Ferdinand Drucker）追述年輕時候曾寫過兩份「正面攻擊納粹主義」的小冊子，被納粹焚書，自己也逃亡海外。二戰後他在美國成了管理學大師，應邀重訪德國，見到戰後西德的新領導人，他們對德魯克說，當年就是幸好讀了他的小冊子，拒絕依附納粹，戰後他們才得以在新政府擔任要職，為重建家國做貢獻。

講事實，講事實，講事實。共勉之！

為甚麼要書寫張東蓀？*

——哲學家與當代中國的未竟之路

思想家介入政治卻以政治行為成為歷史人物的為數不算多；思想性歷史人物的幽靈，能夠有資格在後人反思往事的時刻縈繞徘徊在歷史論述的結界上的，就更少有了。

他和她參與了歷史，卻不一定是歷史演變的直接推動者，更不必是得益者或犧牲者。他們遺留給後人的，往往是其政治行為對隱蔽歷史的去蔽以至對史識的開示，這是兩種珍貴的歷史禮物。公侯將相與政治大人物的歷史，大多只是成王

* 戴晴《在如來佛掌中：張東蓀和他的時代》二〇二二年增訂版序，二〇一六年交稿；二〇二一年修訂補註；文章發表於《方圓》第九期，二〇二一年。

敗寇的故事，存在的就好像是必然的，遮蔽著偶然性以及彼時彼刻的實相和並時共存的變易轉軌能量。然而歷史上也曾出現這樣的人物，他們有意識的思想主張加上適時的政治行為，雖驟然看去似無用於改變順序史實，但卻能助我們洞悉窺見某些關鍵時刻——充滿可變性的特殊日子——所孕育可分娩的不同歷史果實，或曰多樣的歷史可能性，令有識者概歎：本該如此，惜失諸交臂！

晚年（中美恢復交往的上世紀七〇年代初）曾說「還是我對」的張東蓀，就是一個頗接近這種理想境界的思想性歷史人物。他經過思想洗練的政治行為，助我們看到歷史轉折時刻潛在的路徑與選項，以我們的後見之明，可以說他的遭遇揭示了當代中國未竟之路、錯過的機會。

在張東蓀有所作為的人生時段，劃時代的中國政治「重大事件」，如果從清帝遜位、民國草創算起，當數國民黨二次革命、倒袁、五四、北伐、清黨、訓政、日本侵華、國共反復和戰以至共產黨在大陸軍事勝利奪權的頭幾年。在這些重大事件中張東蓀都沒有缺席，幾乎是無役不與，屢屢發出一士諤諤的批評之聲，並經常以思想學理為指引，做出特立獨行的政治行為。

張東蓀在上世紀上半葉的中國思想與政治宗譜裡佔有特殊關鍵的位置，但卻不成比例的鮮少得到中外學界的關注，在上世紀八十、九十年代，內地有過兩三本專著，臺灣也只出版過兩三本，另外就是討論張東蓀認識論的學術文章。故此戴晴的《在如來佛掌中：張東蓀和他的時代》二〇〇九年在香港出版是重要的補足，可以說戴晴嘗試以一書之力喚起華文政治思想界對張東蓀的凝視。

我和戴晴是在一九九二年認識的，回想我大約在二〇〇七年得知她正在花大力氣撰寫張東蓀評傳時，不無驚訝。她關注的重大議題甚多，在寫過王實味、梁漱溟、儲安平之後，這次是在撰寫張東蓀的專著！

戴晴無疑是個擅於挖掘資料、究根問底的調查型作家，她博覽群書，閱歷不凡，對黨史與當代政治尤其熟悉，然而書寫帶有哲學家身份的張東蓀，坡度是很高的。後來我有機會重覆多次參閱了她這本著作，還看了第二版的修正部分。書中從多年鍥而不捨、明查暗訪、機緣巧拾的獨家報料，到調動羅列的大量史料、抽絲剝繭的論述鋪陳、不吐不快的按語旁徵、不吝大膽假設的史見叩問，在在都能顯示出這是作者嘔心瀝血的力作。現在，讀者終於可以在較整全的文本基礎上談論張東蓀在這個大時代的意義了。

如是我感到這是戴晴決心撰寫此書的原動力：張東蓀一生的言行，恰是一個時代的解讀鑰匙，將已被遮蔽的一脈進路再現出來，添加人們瞭解當代中國的維度，改變人們對那段歷史的尋常定見。換句話說，正如書的副題，戴晴透過書寫張東蓀，進一步闡釋說明了張東蓀所處的年代，也即是戴晴自己一直在印證反詰的時代。這正是我在上文所說的思想性歷史人物的言行對歷史的去蔽、對史識的開示作用的體現。

我也贊同戴晴在書中把篇幅集中於張東蓀在特定歷史處境下的政治言行，而不是他對哲學的洞見——那應是當代哲學思想史的另外課題。張東蓀壯年時期除辦報、辦學、寫時評、斷續參政組黨外，他還是學院的哲學教授。在上世紀三十年代他曾頗全面的撰文著書引介各種類別的西方哲學，被認為是「中國近代哲學底系統建立人」以及「中國新唯心論領袖」（張東蓀不接受自己是新唯心論者這個標籤）。在大乘佛教空論、易經、道家和華文的根底上，他用功於康德（Immanuel Kant）、斯賓諾莎（Baruch Spinoza）、詹姆斯（William James）、彌爾（John Stuart Mill）、羅素、懷德海（Alfred North Whitehead）、杜威（John Dewey）、柏格森（Henri Bergson）、翁德（Theodor Wiesengrund）、曼海姆（Karl Mannheim）以至「唯用論」（實用主義）的希勒等的學說，進出認識論、邏輯學、知識社會學等西方範疇，提出了「泛架構主義宇宙觀」、「多元認識論」、華夏思維的「兩元相關律名學」等兼及中西語言、邏輯、文化、認識論與認知間互相關連的獨創見解，開拓力度可與日本哲學京都學派相比。我覺得張東蓀當年在哲學上的實際成就，已超過他自己曾說的哲學在中國「夠不上言創造，只要好好地介紹就行了。」但在當時中國除了政黨盟友兼推介柏格森的張君勱外，張東蓀在哲學尤其是認識論上幾無同道，反而只有論敵如金岳霖、賀麟、胡適、熊十力、馮友蘭以至唯物論者。近年，一些比較哲學和中國哲學史的研究者對他的相關律名學、多元結構認識論、知識文化學和中西哲理分立並置的進路有了較高的評價，相信張東蓀在世界比較哲學和中國當代哲學的先行地位將來會得到更多肯定。*

如果世途順坦，張東蓀得以自由問學，他在四十年代中後至一九七三年逝世

---

* 見二〇二一年張東蓀哲學成就補註。

前是應該會在哲學研究上與時俱進而且具備自成一大家之言的潛力。但在個人被長期專政的惡劣情況下，他在一九五〇年發表最後三篇哲學文章後，再沒有機會和心力在自己開拓的多元結構認識論體系的基礎上作出發展。張東蓀晚年曾撰詩五十首（現僅存四十六首），詠頌四十多個西方哲學史上之古今大家與流派，仿效佛家義諦入詩，以四句七絕二十八個字分別總結評點各哲人哲派的思髓，可見他對各家之言始終一貫思之念之，有著做學問者千山過後的通達領會，但再不可能有像一九五〇年前的具有哲學史格式意義的突破性體系建樹。

哲學研究之外，我認為他的政論、政治主張，以及各種非純學術性的社會文化歷史思想著述包括「社會主義論戰」、「唯物辯證法論戰」等筆戰，皆值得大家好好的讀得通透一點。就現實國情而言，到四十年代中他從日本侵略者牢中九死一生出來後，除了整理三十、四十年代初已動筆的書寫以結集出版外，為了應付那幾年時局巨變，涉政之外，剩下的精力他也只可能用在推動、論證政治哲學和政治經濟學理念。四九年初他帶到西柏坡，可能還想藉贈書以影響毛澤東的，就是他「最不滿意」的最後一本著作《民主主義與社會主義》的增訂四版。

至於他以學理與實證經驗為依據的政治主張，現在一般可統稱為社會民主主義的自由主義。這是四九年前中國自由主義者的主流。由抗戰到四九年前後，知識界有的親蘇，有的親美，有的主張「兼善美蘇」的協和外交，張東蓀是後者。在經濟政策上，這階段的政治自由主義者，有的認可張東蓀所言的「以增產而求平均」的福利式混合經濟的國家「發展主義」，也有的改為接受蘇式計劃經濟，張東蓀本屬前者，但也一度受後者吸引。政治上，他們反內戰，反對一黨專制獨裁，主張權力制衡、憲政法治、多黨民主，階級調和、軍隊國家化，以及保障各種民權包括表達自由。

他們最接近實現理想的歷史契機，是在四五年抗戰勝利後到四六年初的全國政治協商會議前後。這個期間國民黨、共產黨、民主黨派和無黨派人士共同制訂了堪稱「中間路線」的施政綱領（即和平建國綱領），若循初衷，還會推展至國民大會制憲和成立聯合政府。這一切在當時並不是空想，而是抗戰後，和平中國的最佳政治選項。這也是張東蓀和許多同志一生等待的時刻，可惜事與願違。後來的流行說法是「第三條道路中間路線註定是走不通的」，但這只是當權者的成王敗寇邏輯與偽科學的歷史決定論影響下的人云亦云的後設見解，當年何來「註定」？試問四九年前的政治主張，又有哪一種是後來註定走得通的呢？若說中間路線與國民黨的主張走不通，共產黨人在抗戰中期提出的新民主主義與勝利初至四九年的共同綱領，不也與執政後不久的面貌大異其趣，不也都可以說當時這些甚得人心並有助共產黨順利當政的主張是走不通的嗎？到結束文革以至改革開放，又等於承認毛澤東執政的前三十年道路是走不通的！既然都走不通，那麼為甚麼後來只突出強調說第三條道路是走不通的呢？是不是因為還有一句前置的潛臺詞：雖然這條道路比其他道路更有利於國家民族卻不利於中共黨的領導？

如果——有說歷史沒有如果，但歷史識見的建立卻離不開如果，否則只剩下上文說過的成王敗寇，何來歷史開示？——如果多黨民主、混合經濟、協和美蘇的中間路線聯合政府在彼時彼刻的中國落實，就是說，如果國民黨以國家為重，遵守「政治民主化」、「黨派平等合法」、「用政治方法解決政治糾紛，以保持國家之和平發展」等承諾，結束訓政，啟動憲政，而在此同時，如果中國共產黨願意像二戰後擁有武裝力量的法國共產黨和義大利共產黨一樣參與並依循多黨普選議會民主制的民國法統，奉行軍隊國家化，那麼抗戰後的中國歷史就要改寫，就國家的此後發展而言，不難想像將會比現實裡的血腥內戰和共產黨建政後厲行階級鬥爭的頭三十年為好。

張東蓀在七三年死於文革獄中。之前幾年，一度的同志張君勱，以多年知交身份，在美洲發表了一篇張東蓀至死看不到的《東蓀先生八十壽序》，稱身在虎口的張東蓀是「視自由民主過生命者」，可謂是知張東蓀者。但張君勱跟著說張東蓀「而乃獨欲周旋極權淫威之下，冀或遂願生平，何殊與虎謀皮」則言不及義，有貶損張東蓀之嫌。

張東蓀在四六年後既不願意與國民黨共謀，也沒有如在香港的民盟左翼般倒向共產黨，甚至不像在上海的其他民盟頭面人物般顧盼。他重視思想原則勝過生命，想的是人在北平該做的事、能做的事。避免北平毀於戰火是當仁不讓的要務，勸阻中共不要與美國為敵是關乎國運的大事。

據戴晴書中披露的細節，張東蓀曾以「話不投機」、「非常失望」來談論他四九年一月西柏坡之行，大概就是因為當時毛澤東業已決定一面倒親蘇。那年春夏，他在北平「無精打彩」，沒有隨著才剛北上回歸的民盟中人積極營謀用事，而民盟中頭面人物似也已開始冷待他。張東蓀更對自己在新政權裡的角色頭銜以及在新民盟的職位沒有希求，如葉篤義說：「他對政府和國家中的名位都無所謂，而想的是可能變天和第三次世界大戰。」共產黨執政不久，名動一時的各大知識份子紛紛響應號召自我改造，張東蓀還是不肯撰文自斥，以至有友人擔心「怕他消極態度惹起黨的不滿」，亦已有人批評他「在新民主主義的國家中不積極」。到五二年底，他就成了共產黨執政下第一個被治罪的重量級知識份子兼民主黨派人士。後來官方公開資料更說早在五一年就已密定了他特務份子叛國罪，受整時間遠比其他民主人士早，此後至死除了闔家被迫害外，他不曾再有政治作為了。

要記得張東蓀本來就是住在北平的，四九年留下沒有出逃也是自願的，但若就此在一篇有蓋棺定論用意的賀壽文章中，月旦一個一生無役不與的特立獨行者「獨欲周旋極權淫威之下」以至「何殊與虎謀皮」，實有失公允。

如果說張東蓀對共產黨有任何幻想的話，那就是他雖然一生都不認同共產主義的政治理念，但仍然認為假如中國共產黨執政，為了國家建設，應該還是會珍惜人才，讓大家在不同位子上為國家作出貢獻的。在這點上，他看錯了毛澤東與他的中國共產黨。張東蓀四九年已經冷淡面對新政權，不過大概也沒有想到共產黨會這麼容易撕毀該黨從四五年一直到四九年都在信誓旦旦主張的共同綱領，哪怕是四九年那一版已經染了紅色的共同綱領。他和他同代知識份子恐怕都不曾預見這個號稱新民主主義的政權這麼快就變質變臉，預示著其後二十多年的狂風驟雨。

張東蓀從西柏坡之行開始的失望情緒，極可能延續貫穿著他也有參加的一次投票選舉，即一九四九年九月三十日在北京召開的，中國人民政治協商會議第一屆全體會議的中央人民政府主席選舉。

但主席的選票「少了一票」與他有關嗎？張東蓀自己終其一生，對此次投票是沒有任何表示的。至於後來竟以「出賣情報」的「叛國罪行」來整治這位知識界和民主黨派的代表人物，震攝效果不可謂不強大，然其中理據過程以今日來檢視仍是甚不可解。在這個有太多不可告人秘密的國度，期待當權者坦誠公布真相怕是緣木求魚。戴晴以一己之能、竭盡全力去查證，在書中提供了稍縱即逝、得之不易的間接證據，結合有關人物的性格分析、因果推測、黨的潛規則與一貫作派，小心求證已知的官方材料，大膽假設並鎖定上述二事的關聯，以質問鄧小平為甚麼在一九七九年仍批示張東蓀案不予翻案。此書能夠有如此揭示，在現實條件下已實在難能可貴，也替未來有心的歷史史實尋找者留下了重要線索。固然，上述二事在世人不知何年月才能看到解密檔案（如果檔案在也沒有被竄改）或權威知情者（如果還在世或有留言）道出真相之前，恐怕只能一直是懸案。

有所不為的同時，擇善固執的讓「對」的主張、「對」的行為，無畏地在公共領域呈現出來，而不是隱藏在心中或只是私下發牢騷，這樣獨立人格的先賢，就算不是所有讀書人敢於學習的榜樣，也應是令人心儀和受到肯定的。《在如來佛掌中：張東蓀和他的時代》一書以豐富多姿的評述替張東蓀和他的時代樹立了一個立體的造像，也還了張東蓀一個公道。這位受到知識界冷落多年的歷史性思想人物，近年在各方學者的努力下，終於回到二十世紀中國最重要知識份子的殿堂了。

二〇二一年張東蓀哲學成就補註：二〇一五年我的「另類歷史」小說《建豐二年：新中國烏有史》有一章是假想張東蓀與妻在一九四九年避共去了香港直到一九七三年逝世，度過了另外一種哲學人生。老朋友戴晴（及張東蓀的孫輩後人）看了此小說，想到請我替她力作的張東蓀評傳第二版寫序，這是緣起。然後在二〇一六年底臺北的中國現代文學學會年會的閉幕演講上，我講了「一種華文：各表、同表、共生」，再提出「……上世紀三十年代，哲學家張東蓀就研究形聲文字、華漢邏輯與華人認知之間的關連……這裡要強調的是華文的特性絕不能與語音中心的文字混為一談。」當時我依據的是張東蓀一九四〇年在日控北平完稿但要到勝利後的一九四六年才出版的《知識與文化》一書及其幾篇附錄文章（包括一九三八年初寫的〈思想言語與文化〉），以及僅有的左玉河、張耀南的專著，加上陳榮捷、張汝倫、姜新豔、葉其忠、和漢學家羅亞娜（Jana S. Rošker）的論介，知悉張東蓀曾在那個階段嘗試解釋華漢民族特有的「心思」和他「對中國人所用的名學姑妄名之」的「兩元相關律名學」，並以這種受「象形文字」（形聲文字、表意文字）影響的華漢名學，來反差從亞里士多德「同一律」邏輯隨變出來的「西方人思想」。張東蓀說：「我始終主張西方人的思想離不了亞氏名學的支配……

我可敢斷言：中國人的心思根本上是『非亞里士多德的』。」又說：「中國文字是象形文字，這一點不僅影響及於中國人的言語構造並且影響及於中國人的思想（即哲學思想）。」在我替戴晴的巨著寫完序言後的幾年間，張東蓀的結構認識論、知識文化學、中西語言和名學比較和中西哲學分立並置的主張皆得到更多注意，羅亞娜、姜新豔、葉其忠、張耀南都有較新的或我之前沒讀到的著述，更肯定了張東蓀在中國當代哲學甚至世界比較哲學的獨特地位，且不說國內外一些研究張東蓀政論和政治思想的新著。有關張東蓀影響西方學術的一項發現是：二〇一九年香港的《方圓》期刊第二期刊登了當時在香港中文大學任教的張歷君的〈文本互涉與相關律名學：論克里斯蒂娃（Julia Kristeva）對張東蓀知識論的接受〉，詳細解說了一九六〇年代後結構主義名家克里斯蒂娃的文本互涉論是如何輾轉受到張東蓀一九三八年的「思想言語與文化」論文的外文譯本影響。克里斯蒂娃二〇一二年在上海復旦大學演講時也說了「就在我把巴赫金（Mikhail Bakhtin）思想引入法國之時，我發現了一位名叫張東蓀的中國學者的研究……讀了（張東蓀）這篇文章，你們就會看到巴赫金到克里斯蒂娃一路的思想與中國思想中的某些因素的聯繫。」在另一本二〇一四年的著作中，克里斯蒂娃說「有人指出了亞里士多德的邏輯在應用於語言時的不足之處，這不是偶然的：一個是中國哲學家張東蓀，他來自另一種語言視野（表意文字的視野），在他那裡，陰—陽間的『對話』代替上帝」。克里斯蒂娃復旦演講集的譯者祝克懿在二〇一六年的一篇文章裡說「在遙遠東方的哲學家張東蓀的文章能被譯載於《原樣》（Tel Quel），而且與蘇聯享有世界聲譽的文藝理論家巴赫金並駕齊驅，影響到克里斯蒂娃創新思維的形成，成為直接促成互文性（intertextuality）理論生成的動因，可見張東蓀其人與其文，肯定有值得我們關注、去挖掘的相關要素與成分。」

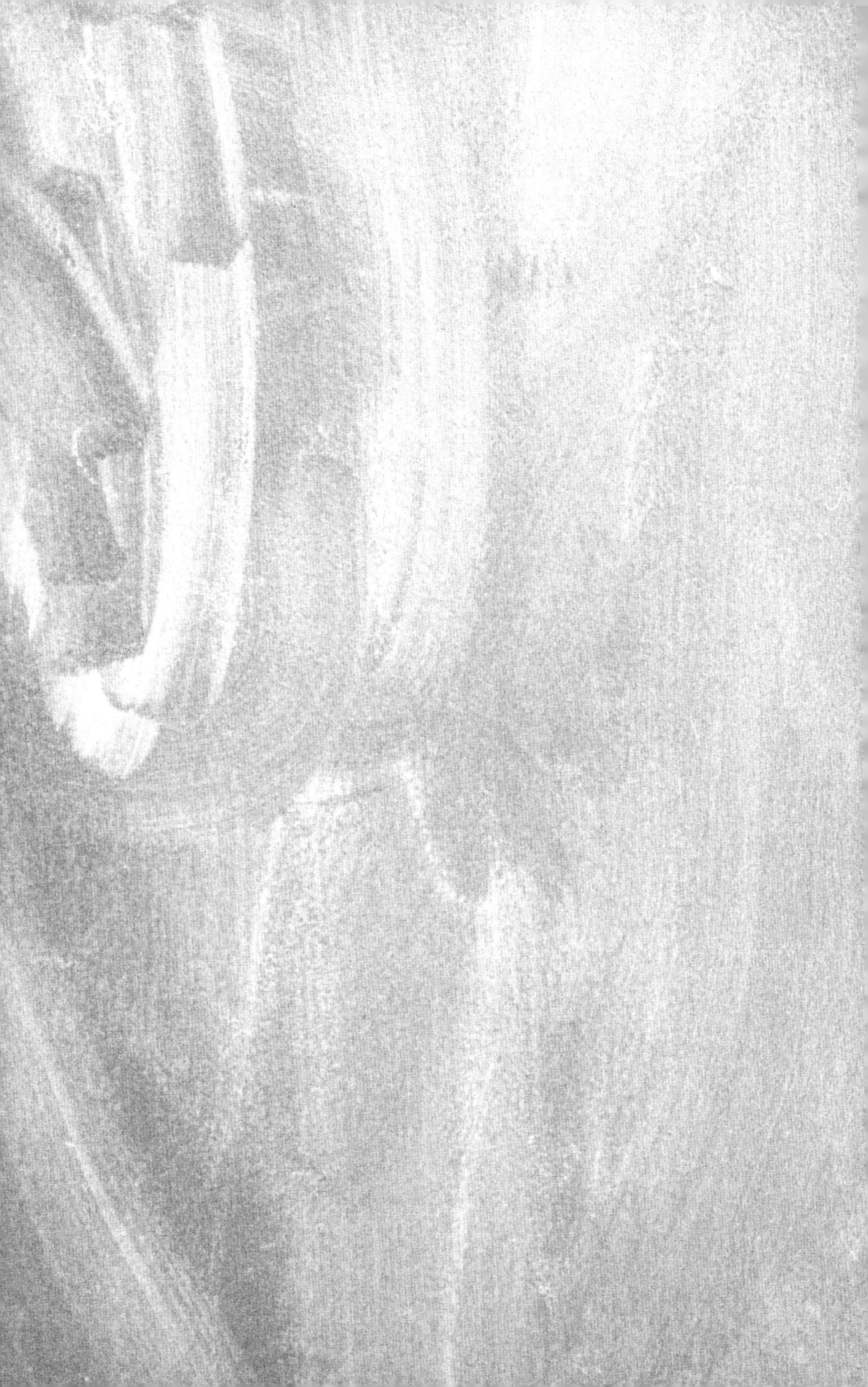

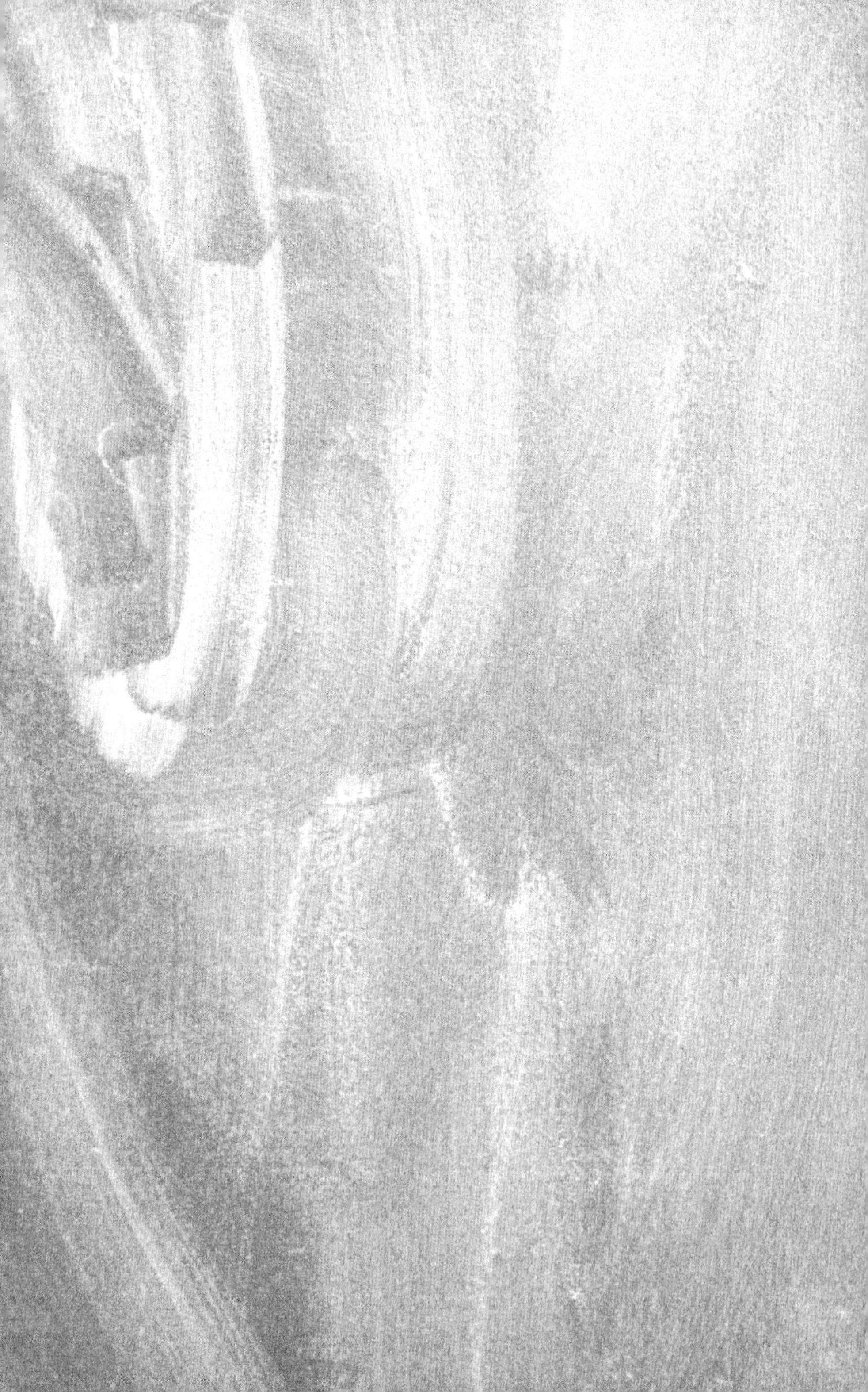

四十年的激流該如何定影*

——介紹鞠白玉策講的《當代藝術四十年》

從現代到當代，從二戰後抽象表現／新達達／波普／極簡／概念帶來的震盪，到裝置／行為／大地／跨媒介的藝術成為常態，從傑克遜．波洛克（Jackson Pollock）要靠曼哈頓五十七街的畫廊每月預支百多美元糊口，到二〇一二年德國畫家丹尼爾．里希特（Daniel Richter）的一幅畫拍賣出二千六百四十萬歐元，然後才幾個月就相繼被其他藝術家打破最高價紀錄（包括傑夫．昆斯（Jeff Koons）四千六百萬歐、草間彌生七千一百萬歐等等），一九八〇年（或前幾年、或後幾年）可說是一個分水嶺，不論是從藝術內在的形式或路徑、藝術的地緣性或藝術

* 二〇一二年成文。

家的相對自主場域，或藝術品作為資本市場的流通價值而言，我們都可以說大約在四十年前，歐美藝術由現代轉入當代。一九八〇年是策講人鞠白玉有根有據選定的起點，時間開始了，自此全球化加速，貨幣增量，超級富豪收藏家湧現，超級畫廊、超級畫商、超級拍賣行精耕操作的畫市節節上揚，當代藝術這種稀有商品成為投資共同體承認的新貨幣（箴言：放著等漲），而市價也成了衡量藝術家和藝術品的其中一種加權標準。與此同時，當代美術館、雙年展和藝術博覽會遍地開花，藝術結合時尚、娛樂、旅遊和公共景觀，吸引著充裕階層的眼球，而作為藝術生態關鍵的一分子，藝術家，正好也趕上了這個多事的魔幻當代，惱人的世態、眾聲喧嘩的話題，燃點著新舊藝術家的激情和想像。然而處於這個去中心化的時代，藝術再沒有足以指點江山的流派、風格、技巧、態度、媒介和類型，藝術家各施各法，推陳出新，每每「跨」字當頭：跨類型、跨媒介、跨物料、跨文化、跨傳統、跨雅俗、跨族群、跨國界、跨性別、跨物種、跨摩登（或稱跨現代，已經不說後現代了），難怪傳統單一類型藝術的愛好者會看得眼花繚亂甚至心煩氣燥。其實當代藝術形態的變化雖然迅速，當代藝術家一族與人世間的基本關係從現代以降卻沒有大變，都是通過以藝術或反藝術態度處理物質材料包括自己的身體來「另眼相看」、提喻隱喻人世間。若借保羅．克利（Paul Klee）所說，藝術並不是在「複製看得到的」，而是因為藝術我們才「看到」，那麼當代藝術就不是在複製當代，而是當代藝術幫助我們看到了當代——我是這樣理解鞠白玉的標題「一九八〇以來最摩登的事，是當代藝術」。但該如何替這股看似簸揚迴轉無端的洪流來定影造像呢？

鞠白玉很有想法的盡用了五十講，如一份試吃菜單般覆蓋不同的進路。第一道就奉上行為藝術之母瑪麗娜．阿布拉莫維奇（Marina Abramović），這叫震撼法：醒醒吧，我們談的是當代藝術。跟著是謝德慶，行為，提諾．賽格爾（Tino Sehgal），行為，都是硬核的重口味。之後還會介紹多位世界級的行為藝術家，同時也會評述涉及裝置和多媒介的頂尖藝術家。這樣的偏重是必須的，當代藝術並不放棄現代藝術的繪畫雕塑攝影錄像，但卻以寬容發揚行為裝置多媒介藝術作為自我界定的特色，沒有了行為裝置多媒介，當代藝術場域將大為失色。杜尚（Marcel Duchamp）一九一七年反藝術的便斗「泉」因此被封為當代藝術的源頭，一九一〇年代的達達和義大利未來主義的行為表演也是濫觴，但那都是陳年往事，中間香火斷了近三十年，反而是二戰後，前衛藝術之都由歐洲特別是巴黎轉移到了紐約，美國出現了第一個本土現代主義運動抽象表現主義，經由紐約畫商帶動反攻歐洲之後，隨而傳奇性地再發現勞森伯格（Robert Rauschenberg）和賈斯帕·瓊斯（Jasper Johns）的新達達（Neo-Dada），預告了後來的裝置藝術（勞森伯格一九八五年的北京展對中國當代藝術的影響不言而喻）。他們兩人以及一些同期紐約派藝術家在之前皆曾待過北卡羅萊納州的黑山學院（Black Mountain College），該學院很鼓勵跨媒介和行動藝術，加上一九五〇和六〇年代的即興藝術表演的普及，等到美國現代主義藝術波浪由波普、極簡走到概念（特別是概念藝術的前衛性），幾乎無縫對接上全球已具備足夠爆發條件的裝置、行為和多媒介藝術，成為一九八〇年代以來當代藝術三支最鮮明的新旗幟。當然，繪畫仍是收藏者的首選，因為繪畫才是最適合布爾喬亞投資收藏或掛牆展示的藝術形式，故千禧年前後，我們看到丹尼爾·里希特、彼得·多依格（Peter Doig）、克里斯托弗·伍德（Christopher Wood）等畫家的作品屢創新高價。鞠白玉在這次五十講中也故意強調「繪畫並未死亡」，慷慨的為繪畫（以及雕塑攝影錄像）在當代留一大席位，介紹了大衛·霍克尼（David Hockney）、路克·圖伊曼斯（Luc

Tuymans）、尼奧．勞赫（Neo Rauch）、珍妮．薩維爾（Jenny Saville）以及中國的張曉剛、劉丹、劉小東等畫家，看頭十足。至於塗鴉繪畫，鞠白玉提綱上沒有大眾熟知的已故的米歇爾．巴斯奎亞特（Jean-Michel Basquiat）、基思．哈林（Keith Haring）等，卻不忘給班克西（Banksy）和KAWS各開一講，自有其周到之處。當話題轉到藝術何價，鞠白玉更不會漏掉以傑夫．昆斯、村上隆、達明．赫斯特（Damien Hirst）和毛里奇奧．卡特蘭（Maurizio Cattelan）等的現象級成功案例來說事。

把當代藝術推到今天的市場規模，背後離不開二戰後美國的一批畫商創業家。每年全球藝術品的交易額估計超過六百億美元，當代藝術大概佔一半，而其中三分之二經過畫廊畫商經銷商代理商的手，通過拍賣行的只佔三分之一。拍賣行不能像大畫商般可以較長線的經營一個藝術家，而且很多大藏家是聽從大畫廊大經銷商的建議而投資進貨的，可見今日畫商位重一時。私人畫商的能量更往往勝過公營的美術館，例如世界最著名的畫商高古軒（Gagosian），當年以一千二百萬美元把薩奇畫廊（The Saatchi Gallery）經由達明．赫斯特泡製過的澳洲海鯊屍體賣出去，售價嚇退英國的泰特現代美術館不敢爭鋒。鞠白玉深知要講解當代藝術，就不得不提「藝術童話背後的財富神話」，即那些「超級畫廊和創始人們」。她用了五講分別介紹當今世界四大畫廊的三家（高古軒、豪瑟沃斯（Hauser & Wirth）、卓納（David Zwirner）），加上當年鋒頭一時的薩奇和現下代理達明·赫斯特的白立方（White Cube）。要看懂當代藝術，還真不能漏了鞠白玉講解畫商的這五講。全球畫廊交易重心仍在美國的紐約（一部分分流到洛杉磯、邁阿密），輔以倫敦和巴黎，加上一些節點如巴塞爾、香港、上海、伊斯坦堡、聖保羅。

這次鞠白玉的五十講在挑選安排上有兩個特點：一是女性藝術家也算佔了一定數目，這是應該的，二是各藝術家分頭關注的議題很廣泛，用鞠白玉自己的說法是「呈現四十年來全球文化的生態變化，關於地緣、種族、性別、殖民、戰爭、自然、科技、經濟等等對於當代藝術的重要影響。」美英、西歐和華人藝術家以外，其他地域的藝術家也有被選中：瑪麗娜·阿布拉莫維奇出自塞爾維亞，村上隆出自日本、影像藝術家阿彼察邦·韋拉斯哈古（Aphichatphong Wirasetthakun）出自泰國。創作當代藝術現在是一個全球現象，各地都有當代藝術家。不過鞠白玉這次的五十講總的來說還是以美英、西歐藝術家為主。這可能是因為「最具時代標識性的作品或展覽案例以及藝術新聞事件」在全球範圍還是以美英、西歐為依歸，至少在認知傳播方面還是如此。

八〇年代也是國人的當代藝術開蒙年代。在中國藝術家方面，這次鞠白玉果斷的挑選了蔡國強、張曉剛、黃永砯、徐冰、劉丹和劉小東為案例，一人一講，都是實至名歸的。只是中國當代藝術家太多，策講如策展，必有取捨。個別大神還可能因為現實考慮沒有上榜，這個大家懂。藝評和國情體驗豐富的鞠白玉一定有她的分寸，你看關於一九八〇年代末中國美術館的中國現代藝術大展那一講，標題是「中國當代藝術元年」，這就知道鞠白玉有她的判斷，而且不避爭議。至於華人藝術家去到全球各地，可說始於晚清，盛於民國，但論述新中國改革開放後的藝術家走向（西方）世界，總繞不開要說到一九八九年巴黎蓬皮杜「大地魔術師」展覽和一九九三年威尼斯雙年展。從那些年開始到今天，當代藝術在中國一直存活在帶有透明保護膜的氣泡內，伸縮有時，異彩紛呈，比一些其他文藝類型更能相對自主自為，偶然還能幫助我們看到當代，得來不易，很值得珍惜。鞠白玉以自己的方法替《看理想》的受眾測繪了當代藝術的地圖，用五十講營造了四十年當代藝術的多聲道，肯定意猶未盡，只能寄望她接著再續五十講。

一部小說點亮一座城*

——黎紫書《流俗地》的一個看點

剛好一百年前，即一九二二年，《尤利西斯》（Ulysses），一本以上世紀初愛爾蘭都柏林城為背景的小說，經一番連載後正式出書。作者喬伊斯（James Joyce）說：「如果有一天這座城市突然從地球消失，（人們）可以依照我的書將它重建。」這是豪語，沒有一本小說可以顯微無間的窮盡一座城，哪怕是一部曠世之作，哪怕是當其時僅三十五萬人口的都柏林城區。小說可以做到的，只是營造出對一個城市的豐滿想像。小說作者意想不到的遺產，是今日源源而至的遊人

* 《流俗地》是星洲日報第十六屆花踪文學獎馬華文學大獎的得獎作品，我是該屆評審之一。二〇二二年。

依照書中的想像觀光都柏林保留下來的老街廓。

大約十年前，二〇一一年，又有一部小說——筆名費蘭特（Elena Ferrante）的義大利女作家的《那不勒斯四部曲》（Neapolitan Novels）——激活了對另一城的想像。翌年英譯出來，旋即上暢銷榜，還拍成網劇，以第一部曲《我的天才女友》（My Brilliant Friend）定名，大獲好評。小說主人翁童年成長的街廓（在城市邊陲的新建平民屋邨），書中並沒有點明，但很快即被考證出來，引來了遊客。這是關係幾代人多個家庭的「薩迦」（傳奇小說），也堪稱是啟蒙小說即成長小說或教育小說，其中最動人的故事線是兩位女主——其中一個是天才型的——之間愛妒交錯的長年友情。

黎紫書二〇二〇年的小說《流俗地》也燃點了我對一座城——馬來西亞「錫都」怡保——的嚮往。《流俗地》亦是啟蒙小說兼城市傳奇，交織著一度同住錫都「組屋樓上樓」的多戶人家跨世代的遭遇，尤其突出三個人物——其中一個是天才型的女性——從童年維繫到成人的雋久友情。這個叫銀霞的天才級女子是個盲人。小說人物繁多，但作者仍成功的讓讀者深入認識了銀霞和她「看到」的世界，替華文小說庫添加了一個形象鮮明的女一號，假以時日她或可能以小輩姿態擠進莎菲、虎妞、白流蘇、王琦瑤、玉米、《飢餓的女兒》六六等當代華文小說女角的名人堂，屆時銀霞將是那殿堂中內心最光明的一位女性小說人物。

香港有一家慈善機構叫心光盲人院，創辦於十九世紀末，早期只收視障女性，出了不少人才。我從小每次聽到心光這兩字就會想笑，回想並無惡意，反而是無意間學到隱喻的使用：心和光都是比喻。盲人被形容為失明，看不到亮，但只要有「心」而心裡有「光」，一樣可以「看見」世界。反之，一個蒙了心的明眼人就算有眼也無明。蒙就是蔽蓋，蔽蓋了就無光、就不能「明」。英文 enlighten 的原意就是賦予光明，大寫的 Enlightenment 運動，華文譯作啟蒙運動，啟蒙即去蒙、開蒙，摒棄蔽塞愚昧，看到光明。教育——讀書明理——被認為可以去蒙，兒童教育古稱蒙學、學舍叫蒙館、老師叫蒙師。

銀霞在小說中的開蒙是緩慢但穩步累積的，心中有了光，就可以飛快的編網兜子、打盲字、背熟棋譜、辨人聲、知己識人，安身立命、並可以用心看到整個錫都每一個街巷、每一條行車路線、每一處犄角旮旯。唯一看不到的是在盲校向她施暴的人，但當一個可托身的男人出現了，她是明白的。

她驟看不起眼，正如在第一章，一個叫大輝的俊奇男子突然現身，看似是主角的出場，誰知大輝只是性格演員，演的是次要角色，而當天在「德士」呼叫臺值班的盲女銀霞才是明星。之後小說時空交錯但只要銀霞在場就有亮點。銀霞的兩個男性童伴——華裔的細輝和印裔的拉祖——也很有戲，三人的友情深而無私且不涉愛情，是我喜歡的處理，因為在文學中友誼往往是被低估的，而這條友情線卻是《流俗地》的主心骨，比小說中的愛情、親情和奇情更可觀。不過，書中的女性普遍又比男性精彩，穿插出場的馬票嫂和蓮珠姑姑都是好看角色，如果是電影，銀霞是女主，馬票嫂或蓮珠姑姑則皆有被提名最佳女配角的潛力。

流俗之城，神明藏在細節，黎紫書就是靠這些凡俗在地的女主角（儘管是天才型的）、女配角、男配角、次要角色、眾多大大小小的性格演員甚至組屋女鬼、土地大伯公和疤面普乃貓，令我們一頁又一頁的翻讀追看，然後到了全書四十章中的某一個點，人物熟悉了、想像豐滿了，讀得入戲了，突然會眼前一亮，頓覺自己看到了一座城和它的眾生——大概是因為作者借了銀霞的心光替我們照明了整個錫都。小說是讀者心眼的光源，小說不可能事事窮盡，但它可以點亮一座城。

啟銳永遠年輕*

事隔多天，才能平靜的寫這篇悼文，相信啟銳會希望我說點想法，知道婉婷素來是非常英勇的，祈盼能節哀順變，善自珍重。

羅啟銳 Alex 是我的老朋友，大致同齡，但他比我和許多上世紀五十年代出生、喜歡懷舊的香港朋友更懷舊，也因此反而是他更契合當前的時代精神，替我們預告了獅子山下的新感性：他和張婉婷 Mabel 留下的難忘的光影作品，今天如良師益友般伴隨年輕新一代集體懷念故園。啟銳永遠年輕，這是他的魔法，當歲月不單盜去我輩的膠原蛋白還敗壞了肝膽魂魄，當自己的軀體和精神枯朽了，我

* 二〇二二年七月寫於北京。

仍然相信啟銳不會變老。他是不懂得變老的。為疫情所隔，我們最後一次見面是在二〇二〇年中，他就如當年拍攝《秋天的童話》時同一個模樣，服飾風格、髮型、身材、神情和笑容，尤其是神情和笑容，完全是青春的。更深層次說，他的創作心態電影觸覺都是年輕的，洋溢著香港電影新浪潮一脈的逆風飛翔精神——這精神薪火相傳已嫁接到今日港地的新一代電影人。他和婉婷是夏日的童話，公認的夢幻組合，本心一致，永熾著創作的熱情，實證了香港影片的黃金處月，見識過合拍電影的大千世界，拿到了大榮耀，也嘗過不被理解，四十年，始終不離不棄，擇善固執，哪怕物換星移，只盼芬芳不散，示範著電影人質樸迷人的身段。啟銳露頭角於香港電臺電視部，其《霸王別姬》已成單元劇作經典。至八十年代啟銳有了機遇施展他的看家本領：恆久的童心、港味的懷舊、坊間的趣味、庶民的資糧、市井的調皮、蠱惑的良善，以及永遠的浪漫，與婉婷攜手成就了《非法移民》、《秋天的童話》、《七小福》、《八両金》、《我愛扭紋柴》。永遠的浪漫和對青春理想的不捨也驅動他們去為同代的另類追憶造像，拍出寓意港人飛揚與滄桑的《玻璃之城》，以及對青春無悔的《北京樂與怒》。永遠的浪漫更誘發他們跨出舒適區，克難而上去想像民國（包括晚清與後民國），《宋家皇朝》、

《三城記》加上早年的《霸王別姬》可說是廣義民國戲的三部曲。影業潮高潮低，有所不為的影人，想依心水開戲從來不易。當年港產鬧劇當道，《秋天的童話》好一段時間找不到資金，直到主事德寶電影公司的岑建勳在我的推介下去看了劇本——岑沒看畢就即拍板投拍。《宋家皇朝》好聽一點是籌備經年，現實是電影人為一個心水項目空轉多時。一個電影人的一生，究竟能夠完成多少齣自己想拍的電影？我聽啟銳說要拍《歲月神偷》也很多年，還知道了不少橋段劇情，都忘記影片其實遲遲沒能開拍，幸好啟銳和婉婷電影生涯的一個貴人、被他倆稱為「總裁」的岑建勳再度出手，組合香港政府的電影發展基金、大地娛樂和美亞娛樂，協力助啟銳實現夢想。拍片之餘，啟銳功夫不離手，勤寫別具生趣的散文，讓生命的積累一滴不被浪費。而他畢生的準備，何嘗不是為了拍出《歲月神偷》？啟銳以這齣戲為他導演事業的代表作，甚至是收官之作，對自己對大家的期待皆有了交代。但認識兩位雌雄大導的朋友都會認為，他倆黠慧而永遠年輕的心裡應該還藏著很多蠱惑而善良的好戲目，大家在等著看他們又出甚麼雙劍合璧新招數，誰會想到⋯⋯

我不知道啟銳近月抱恙，及至收到噩耗，驚惶不已，感覺不是真的。但他是真的走了。不過我知道，他只是走了，不會變老，啟銳永遠年輕。

讀法文著作五十年*

——寫給法國駐華大使館第十四屆傅雷翻譯出版獎

評審寄語

我用了幾近一生學習華文，也花了六十多年讀寫英文，但只上過一年半香港法國文化協會的法語課，不足以閱讀法文著作。可是從文青期追看 **la nouvelle vague** 電影開始，到自己成了上世紀七十年代不知水有多深的香港文化界的 **enfant terrible**，我的開蒙離不開法國文化。是誰讓我能夠讀通杜魯福（François Roland Truffaut）的影評集和尚・考克多（Jean

* 傅雷獎年度論壇「法國理論之後，法國人文社科領域在關注甚麼？」發言（原定於二〇二二年十一月二十日的論壇因北京疫情防控臨時取消，此文根據發言稿整理）。

Cocteau）的小說？是誰讓我能夠讀懂卡繆（Albert Camus）《局外人》（L'Étranger）、波特萊爾（Charles Pierre Baudelaire）《巴黎的憂鬱》（Le Spleen de Paris）、托克維爾（Alexis de Tocqueville）《舊制度與大革命》（L'Ancien Régime et la Révolution）、雷蒙・阿隆（Raymond Aron）《知識份子的鴉片》（L'Opium des intellectuels），還有那兩本以中國為背景的象徵派現代小說：維克多・謝閣蘭（Victor Segalen）的《勒內・萊斯》（Rene Leys）和安德烈・馬羅爾（Georges André Malraux）的《人的命運》（La condition humaine），以及世界上一些作家的法文寫作：從阿瑟・庫斯勒的《中午的黑暗》（Darkness at Noon）到弗蘭茲・法農（Frantz Omar Fanon）的《全世界受苦的人》（Les damnés de la terre）到米蘭・昆德拉（Milan Kundera）的法國時期著作？沒錯，是翻譯法文的文字工作者。我向他／她們致敬。其中，傅雷先生是一位楷模。先生翻譯的巴爾札克（Honoré de Balzac）、伏爾泰（Voltaire）、羅曼羅蘭（Romain Rolland）——巨人三傳和長河小說《約翰・克利斯朵夫》（Jean-Christophe），育化感動了幾代中國讀書人。大哉，譯者！

法國駐華大使館傅雷翻譯出版獎每年度評審委員有十一人，約定每次特邀兩名不懂法文的人士加入，我是這一屆兩個不懂法文的評委之一。這屆傅雷獎還安排了我參加談法國理論之後人文社科近況的論壇，卻之不恭，是以我謹嘗試從英文報導和譯作中得來的印象，做一些「推想」，講出來請在座的法國專家指正。因為所讀都是譯作，我的見聞在時間上定有所滯後。況且不言而喻，當今人文社科領域龐大多樣，個人所涉範圍必極為有限。在準備這次發言時，我還意識到，自己今日閱讀的路徑原來仍在相當程度上延續了少年和青年時期經歷的三個法國時刻。

上世紀六十年代中，我在香港接觸到法國新浪潮電影，這是開端。從電影旁及文學、藝術、思想和巴黎。譬如說，看了電影《祖與占》，就會想去找杜魯福寫的影評合集來讀，並去追看亨利—皮耶．侯歇（Henri-Pierne Roche）原著小說的英譯 Jules et Jim 以及稍後的臺譯《居樂和雋》。這是我的文青時刻，是泛文藝的。想想當我知悉到，尚．考克多一九二二年在巴黎導演的《安提戈涅》

（Antigone）舞臺劇，佈景設計是畢卡索（Pablo Picasso）、服裝設計是香奈兒（Gabrielle Bonheur Chanel）、音樂是奧涅格（Arthur Honegger）、演盲國師的是後來殘酷劇場（Théâtre de la cruauté）的阿爾托（Antonin Artaud），而與考克多交惡的達達主義者當時還出演了抗議者，這可是個多麼引人遐想的泛文藝夢幻世界。對法國文藝的想像把我形塑成了港味文青，那是一種移動的感性生存狀態，體驗之後可以隨隨便便伴隨一生。

到中學的最後兩年，我預備考香港大學入學試，其中英文歷史課有一門專題考試，那屆的考題剛好是法國大革命。除了平日筆記老師講課備考外，還要硬啃阿爾費雷德·科本（Alfred Cobban）和喬治·魯德（George Rudé）兩大史家的英文著作。那時候沒想到，大革命、啓蒙與法國十八、十九世紀將是自己一生繞不過去的功課。進大學第一年我修政治學、哲學和社會學，後者的指定課本是雷蒙·阿隆的《社會思想的主要潮流》（Les étapes de la pensée sociologique），專論七位社會學奠基者，其中竟有四個是法國人（孔德（Auguste Comte）、孟德斯鳩（Montesquieu）、托克維爾（Alexis Comte de Tocqueville ）、涂爾幹（Émile

Durkheim）），溢出了社會學的一般譜系。這三年組成了我的第二個法國時刻，可稱之為跨學科準知道份子時刻，對各人文社科學科都想涉獵淺嘗。

到上世紀八十年代的第一年，我撰寫了一本文論專著，從馬克思說到後結構主義，這是第三個時刻，可以說是我的法國理論時刻，因為打從法國結構主義開始，有這麼的二十來年，世界最鋒頭的思想範式大半出自法國，我適逢其下半場。我也發覺譯作是原著的滯後，例如阿爾都塞派（Althusserism）主要文論者馬舍雷（Pierre Macherey）一九六六年的法文原著《文學生產理論》（A Theory of Literary Production），要到一九七八年才有英譯本。

年輕時期的這三個時刻皆已過去，不過慣性使然，四十年後，我依然會跟進一些有關的法國論述。

泛文藝的興趣帶動我去跟藝術界交往，方知北京頗有些策展人關注柏格森（Henri Bergson）、洪席耶（Jacques Rancière）、布迪厄。我八一年出版的那本文論，曾提到德勒茲（Gilles Deleuze）較早期的著作，後來自己為了研究當代新巴洛克風，又回頭找德勒茲在八八年出版的《摺皺：萊布尼茲與巴洛克》（The Fold: Leibniz and the Baroque）來看。又因為從藝術關注到技術，那就無可避免的接上剛去世的拉圖（Bruno Latour）和也去世不久的施蒂格勒（Bernard Stiegler）。由於閱讀鏈條沒丟，我才能在「法國理論之後」，跟上與當年的文本導向學風大異其趣的新近一波法國哲學（不是指一九七〇年代的所謂「新哲學」），特別是昆丁．梅亞素（Quentin Meillassoux）和凱瑟琳．馬勒布（Catherine Malabou）的述著——梅亞素是巴迪歐（Alain Badiou）的學生，馬勒布是德里達（Jacques Derrida）的學生。近年，拉圖無疑是學科領軍，馬勒布則有殿軍之架勢，著作多，且很快英譯，華文的翻譯也出了好幾本。我認為從拉圖和馬勒布在英文和華文世界的勢頭，我們可以推想當前法國哲學和藝術／技術／科學／社會研究的一些亮點。

對社會和政治的志趣則促使我去結識了不少中國的知識份子，他們曾經的主流是自由派，在英美資源外他們偶爾也會援用孟德斯鳩、貢斯當（Benjamin Constant）、托克維爾、阿隆以至弗朗索瓦．傅勒（Francois Furt）。不過自由派很少談論克勞德．勒弗（Claude Lefort），雖然勒弗論證的正是民主與極權的綜錯，也是對傅勒史觀的理論襯托。另外馬賽爾．戈謝（Marcel Gauchet）與強調政治理論和史學結合的皮埃爾．羅桑瓦隆（Pierre Rosanvallon）也不常被提及，幸好羅桑瓦隆多本著作已有英譯，也出了幾本華文譯作，可以從而推想法國社會政治論述的一些焦點包括民主的挑戰、福利社會的危機和民粹主義的威脅。

至於所謂中國式新左派，他們會追捧與「法國理論」毛崇拜同期的巴迪歐，但較少談論曾與阿爾都塞（Pierre Althusser）合作撰書的艾蒂安．巴利巴（Étienne Balibar），也不會提到由結構主義文論家轉政治思想史家的茨維坦．托多洛夫（Tzvetan Todorov）。華文媒體還會談及一九六八年，甚至《原樣》（Tel Quel）一九七四年組團訪文革中國，但不太記得薩特（Jean-Paul Sartre）和法國知識界的阿爾及利亞辯論，更不用說二戰前萊昂．布魯姆（André Léon Blum）帶領的人民陣線政府。法國近年多事，極右翼、新右翼、新自由主義、種族主義、歐洲身份、移民、難民、貧富差距、左翼民粹、右翼民粹，推想有關爭論在法國應都不會缺席，可惜這類著述在中國出版不易。

在當年傅勒修正了法國大革命的社會史觀後，關於大革命的歷史新著在法國並沒有斷過，尤其在大革命兩百周年前後，既有「文化轉向」，也有對傅勒觀點的延伸或挑戰。法式文化史、心態史和微觀史的史學取向則已較為一些華文讀者所知，今年的傅雷獎入圍的五部人文社科譯作中就有三部可歸為文化史的著作，包括兩位著名大家——喬治・杜比（Georges Duby）和雅克・勒高夫（Jacques Le Goff）——關於中世紀晚期的經典舊作，以及一九四〇年出生的薩賓娜・梅爾基奧爾—博奈（Sabine Melchior-Bonnet）的二〇一九年新作。

不過，最能代表法國史學豐碑、有超過八十年傳承的年鑑學派當年革命性的治史主張（長時段、整體史、社會科學化，去政治、去大敘事），歷來也不是沒有受到別派的一些史學者和學派自己的第三、第四代的質疑。近年政治史、社會史等敘事性史著好像又回熱了，出自文學系的法語語系後殖民研究也試圖掀起「帝國逆寫」，而全球史的進路更給了偏重本國史的法國史家壓力。法國史學的取向從來也受政治、社科和哲學理念的影響，可以推想史學這門悠久顯赫的法國學問，今後仍將會是眾聲喧嘩、蔚然可觀的。

至於近十年最為世人所知的法國學者，無疑是政治經濟學家托馬斯．皮凱蒂。不過在中國，除了新書出版時的一輪密集報導褒貶（《二十一世紀資本論》在二〇一六年甚至得到習近平的提點），之後有意思的討論並不算多，雖有秦暉、崔之元等個例，但以該書議題對中國現況的相關重要性而言，就顯得不成比例了。再次，華文出版界走在中國知識界之前，據知已譯出了五本皮凱蒂的原著（《資本與意識形態》(Capital et Idéologie) 和《社會主義快來吧》(Vivement le Socialisme! Chroniques 2016-2021) 皆有臺譯本）和兩本討論皮凱蒂的專集和通論。除明星級的皮凱蒂外，法國經濟學人在全球範圍總體表現也是不錯的，國際貨幣基金在二〇一四年選出二十五位對世界有影響的四十五歲以下的經濟學家，其中法籍經濟學家包括皮凱蒂在內佔了七位，僅次於美國，由此可推想法國經濟學的顯揚，雖然這幾位中生代的表表者大多去了英美任教。

能夠揚名世界的法國學者，不再是出自二戰後顧盼自雄的左岸哲學圈、大寫理論界或廣義年鑒系，會不會是法國思想力度終於走下坡的一個徵兆？英文評論界頗多這樣的看法，而法國最知名的出版社伽利瑪（Éditions Gallimard）的最重要編輯兼史學家皮埃爾．諾拉（Pierre Nora）在二〇一〇年也承認內卷，慨嘆當前法國思想變得視野狹窄、心智原子化和陷國族地方主義。

馬勒布在一次訪談中提出另一種可能性。她說法國哲學已不只是屬於法國了，而是處於全球哲學大離散的洪流中，就像香檳酒一開瓶就裝不回去。

馬勒布更說，是自己的書被翻譯後的經驗，為她帶來最大的驚訝。對不懂法文但思想受法國影響的人來說，我們會慣性的一如既往甚至一往情深，等待翻譯作品替我們帶來下一個法國製造的驚訝。

香港與我的開蒙*

——電影、書和社會運動，一九六六—一九七五

文藝復興獎二〇二〇請我做一個四十分鐘的演講，我給了一個題目：香港與我的開蒙。我特別會著重講電影、書和社會運動。我會縮短範圍到幾年而已，就是我自己讀高中、預科和大學的那幾年。我希望大家通過這些回顧，可以不單只聽到關於我開蒙的絮語，還可以看到很多香港的背景，所以題目是香港與我的開蒙，香港是在先的，即是我會講到香港好多大環境，而香港的大環境與世界與中國的環境都有關係，而這個大環境成就了我的同代人，而我是同代人的一份子。

如果沒有我的同代人的平臺，我相信我都不會成為現在這樣。我更會集中講

* 「致敬文藝復興人」主題演講，二〇二〇年。

當時的文化場域的選項，如果沒有了這些我同代人的文化場域的選項，我相信我也不會變成現在這樣，我的開蒙與香港這個地方、我的同代人和這些文化場域都很有關係。

這就是我想用四十分鐘跟大家講的一些議題，每個人都有被動的方面，我自己最終走了一條比較少人選擇的路，但是我背後有一個大環境，當然之後我主動的選擇亦影響我自己的軌跡。

但是如果我可以將這些事情講清楚，就算集中在那幾年，我相信亦對大家理解香港當時那一代人——我年代的人——也很有幫助。

我講過幾次這種演講，就是說我自己青春期的開始是一九六四年的一個事件，青春的結束就是一九七一到一九七三年的另外一個事件。開始是哪件事，開始就是一九六四年英國樂隊 Beatles 披頭四，國內叫作甲殼蟲，訪問香港。Beatles 成立不久就去了美國，之後第一次世界巡迴演唱，其中一站就是來香港，代表在那時候香港已經是世界文化地圖的一支旗。他們一九六四年在樂宮戲院做演出，大我一兩歲的姐姐去了聽。全代人都好像瘋了一樣，突然之間我們新的時代來到。一九六四年當時我只是十二歲中學一年級。那時候我還沒真的跟上這個潮流，但是我看到我的姐姐已經在那個潮流中。

然後到一九七三年是甚麼事呢，在一九七一年開始香港股票恆生指數從一〇〇點上升到一七〇〇點，然後在一九七三年從一七〇〇點下跌到一三〇點，那個是股市。就是說我們的青春期是從英美文化和代溝開始，然後在七〇年代初，終於明白到錢原來可以這樣玩弄，原來很多人可以因為這樣魚翅撈飯，亦可以因為這樣跳樓自殺。

這樣的教育已頗完整，就是說突然之間開蒙了文化和金錢經濟。但中間還經過幾個很驚心動魄的事件，就是在一九六六年我們香港由一個天星碼頭加價的抗議示威，造成了騷動。一九六七年有一個工人運動之後造成的暴動。這是政治，政治裡面又再分一個是民生的政治，一個是意識形態的政治。

如果我們在那個時代成長的年輕人，明白每件事情的意義的話，其實都已很完整地接受了文化、經濟、政治的開蒙。

講回六四年，六四年其實在中國是甚麼情況呢，當時在內地是四清運動的開始，這個是文革的前兆，已經預告了風雨欲來。七一至七三年是甚麼情況呢，就是文革還沒結束，是文革早期完結了，中期開始。這個中期有非常殘酷的幾次運動，包括要清去一些新興一代的異見份子，所以七一、七三年，有很多北大的才子被槍斃，因為講了一些話寫了一些東西。這是他們的時代，與我們是同代人，但時代大環境完全不一樣，因為在香港有這樣的大環境才會成就我這樣的一代香港人。

我講回前一些，或者我們應該講一下為甚麼會有這樣一代的香港人。可能可以回到一九四五年日本投降，當時本來就要將香港給回中華民國，因為這是盟國的一個協議，但是英國不是很遵守這個協議。戰爭完結了，立刻再控制香港島，英國的艦隊就立刻來到，而當時的中華民國軍隊到了寶安縣（現在深圳一帶），但是他們沒有過來香港，如果他們早一步來到香港島，我想形勢會完全改變。當時在香港的武裝力量是日本以外，就是游擊隊，東江縱隊，當時他們是受共產黨指揮，但是他們又不想接收香港這個政權，因為接收了可能要歸還給中華民國，共產黨當時仍是跟著中華民國對抗日本。中共寧願將香港給英國人，英國再次掌管這個殖民地，所以才叫作「重光」香港，這個肯定是很關鍵的一刻。

然後一九四六年在中國內地開始內戰。到一九四九年內戰結束，共產黨又決定不收回香港，當時還要向一些做港澳工作的人解釋，為甚麼我們不順勢收回殖民地。還要周恩來出面講，香港就是我們抓著英美，可以搖他們的那一條辮子，可以分化他們。又說香港是一個橋頭堡一個對外的窗口等等，因為這樣才出現我們所謂香港嬰兒潮一代。

香港人口從一九四五年之後，慢慢增加，一路增加到一九五〇年已經超過二百萬人，一九四五年在香港剩下不足五十萬人，到一九五〇年已經另外一回事，特別是一九四九年，這一年差不多來了一百萬人。如果沒有大陸易權這個轉變，我想我也不會在香港，我父母都是從中國大陸來到香港，一九四九年之後陸續來到的，我自己是在一九五六年才到香港。我們就是難民或新移民那一代，也是香港的第一代土生土長，或者土長的新生代，嬰兒潮那一代。因為來到香港，比較安穩，所以很多小孩出生。

這樣還沒完，香港當時是轉口港，營生的是依靠轉口，但突然之間韓戰或者叫朝鮮戰爭出現，因為這個戰爭，聯合國就禁運了貨品進出中國，那麼香港的轉口角色就不在了。幸好世界的戰後第一波的全球化開始了，即是說美國市場，這個最大的市場，他們開始開放給某些地方，並將某些工業轉移到一些較便宜的地方，如日本，然後由日本轉移到來香港。香港就開始了五〇年代勞工密集的工業化，終於可以負擔那麼多難民，香港的人口變成一個紅利，讓香港可以輸出一些很廉價的產品。因為這樣我們的香港才可以知道怎樣走下去，大家都很努力糊口，大家都很努力工作。

在這個期間，我們父母那一代都不會叫自己做香港人，沒有這個概念，那時候的政治理念都還是分左右。我剛到的那一年一九五六年，曾經有過暴動，那個暴動就是因為警察清除中華民國旗，但後來有黑社會的騷動，很複雜，但是我不太記得，因為太小了。我記得的就是當我稍微年長一些的時候，我們經常去看到的電影原來都分兩邊，每年雙十節都是有一個慶典來的，在尖沙咀油麻地地帶的平安大廈，自由工會的明星在那邊聚餐，我們就去街旁圍觀，人山人海的圍觀。如果坐雙層巴士到荔枝角或者黃大仙，你沿途會看到很多青天白日旗，這個就是小時候的印象，對政治的印象。

然後到五〇年代後期，中國發生大饑荒，這個時候我的印象就是，原來我們香港人要經常救濟大陸，那時候祖母和外祖母，他們會叫我寫地址，因為那時候我在讀書，會寫毛筆字，他們買些油啊糖啊，用很多布料包裹著，那些布料寄去大陸可以補衣服，然後上面縫上一張白布，寫著親戚的地址，然後在郵局寄回大陸，當年是要寄送油、糖回大陸去救濟親戚，這是我小時候的印象。

一開始我們家生活很拮据，我們曾經很多人住在一間租回來的房間，但就算是那時候我也沒有挨餓，也沒有甚麼短缺，我也可以去上學。我小時候是讀天主教學校，可以見識到很多東西。當時有免費派送的樂鋒報、又有天主教的公教報，裡面有影評，是的，公教報有影評。從天主教開始我懂得在想究竟人生有甚麼意義呢，因為天主教的學校有聖經這一堂課，而聖經這一堂課的課本《要理問答》的第一課第一句就是問「你為甚麼生在世上？」，第一課就開始問你這樣的東西，讓你開始想：原來可以問這樣的問題。

六〇年代中，我是在初中，我當時唯一看的課外書是金庸的武俠小說，我也不捨得花錢買，而那些武俠小說是要去租的，雖然用很少錢，但是我也是要花錢去租的。那時候，剛剛說一九六四年 Beatles 來香港，我們的風氣已經改變，我們那些男孩希望留長頭髮，又要求穿牛仔褲，雖然家人是反對的，有很多這些文化上的差異，與上一代發生一點摩擦的。

在中學的時候，我突然看到一份中學生的報刊，叫作《中國學生週報》。因為學生週報，我就看到很多影評，開始有些好奇。然後很幸運我有一個同學，叫鄧小宇，是同班同學來的，他就會邀請我去一個叫作法國文化協會的地方，說我們去看些法國電影好不好。這是我作為文化，或者是文青的開蒙，就是原來世界上還有那麼多電影看。我們在香港已經可以看到很多國語片、粵語片，還有美國電影，甚至日本電影，但是原來有種另類的電影。我是因為黑白電影，因為這些老藝術片，令我覺得這個世界還有另外世界。

其實香港在電影方面是很先進的，因為除了法國文化協會之外，當時還有一個第一影室，已經同步播放世界的藝術片，雖然當時我還沒知道這個第一影室。電影是我第一個開蒙媒介。

我講一些黑白電影名給大家聽聽，只限於黑白電影。首先法國的新浪潮片，如杜魯福的《祖與占》、《四百擊》(Les quatre cents coups)，高達（Jean-Luc Godard）的《斷了氣》（À bout de souffle），阿倫·雷奈（Alain Resnais）的《廣島之戀》（Hiroshima Mon Amour），或者再舊一點雷諾瓦（Renoir）的《遊戲規則》（The Rules of the Game）之類。除了法國電影我們還可以看到義大利電影，《單車竊賊》（Bicycle Thieves）、費里尼（Federico Fellini）的《大路》（La Strada），又可以看到瑞典電影，英瑪·褒曼（Ingmar Bergman）的《第七封印》（The Seventh Seal），其實已經開竅了一個叫作世界電影的窗口，加上印度孟加拉導演薩雅吉·雷（Satyajit Ray）的《阿普三部曲》（The Apu Trilogy），我們看到小津安二郎的《東京故事》，我們可以看黑澤明，看他的《羅生門》，又看《流芳頌》，知道原來做官僚很無聊，人要去找意義，然後看到《赤鬍子》

知道甚麼叫作人道主義，除國家民族階級之外還有人道主義。這些全部都是黑白片，我還沒講其他彩色電影如《天國與地獄》那些。另外一種電影也可以看到，就是反對戰爭的電影，例如市川昆的《緬甸豎琴》，小林正樹的《人間的條件》這些日本電影，又可以看到義大利導演拍攝的《阿爾及爾的戰爭》（The Battle of Algiers），知道反殖這一回事，知道非洲阿爾及爾人反對法國殖民地，當時還可以看到《西線無戰事》（All Quiet on the Western Front）一戰的反戰電影，看到 Stanley Kubrick（史丹利．寇比力克）的《密碼一一四》（Dr. Strangelove），原來核戰會令我們全部死亡，在冷戰期間人為的愚蠢，可以令我們一起送死。黑白電影其實已經可以令到我開竅，只要我領悟力高一點，那時候其實我已經可以明白很多東西。電影是第一個讓我對文藝有興趣的東西。

一九六九年，那一年我讀預科，我們文科學生讀中史還有英史。預科的中史，完全和我中學的中史不一樣，讀預科的中史我才開始開竅。譬如我們要讀甚麼書呢，我們要讀錢穆的《國史大綱》，我們要讀錢穆的《中國歷代政治得失》，而且每個同學都要修讀一科專科，我修讀秦漢史，要看很多秦漢的歷史書，包括錢穆的《秦漢史》還有其他秦漢史。另外我修讀的英文的「歷史」課，同樣與中學那些完全不一樣，不單只要讀教科書，還要真正的閱讀參考書。其中一個我們的專科是要考法國大革命，不是我自己選，是全校學生都是選這科，那屆要考港大就要選這一科。看這些歷史學家的歷史書，是真正的閱讀。到我讀完預科，我已經有了中史的開竅，有了對歐西歷史的一些印象，這些都只是初步印象，但是很重要，從此知道有這樣的事情，這是一種 sensibility，一種感覺，終生伴隨，原來可以有這樣看中史看外國史書的滋味。

到一九七一年大學第一年，我基本上幾個伴隨一生的主要 sensibility 都將會齊備，那麼巧自己知道，在自己住的尖沙咀地方，在漢口道有一家樓上書店，叫做文藝書屋。我在預科的時候，已經開始買《明報月刊》看，已經看到很多名字，又看到上面有很多討論華人問題意識、華人知識份子的議題，已經開始有興趣。我一進文藝書屋，全書屋都是臺灣書，有臺灣進口的書，有盜版臺灣書，那時候香港會盜版臺灣的書本。裡面有兩三道門我打開了。第一道門是文學，因為在文藝書屋，我找到張愛玲的短篇小說選，還有白先勇的《謫仙記》及《臺北人》的系列小說，我找到王文興的《龍天樓》，我找到余光中早期的詩集《五陵少年》以及余光中早期的散文集《左手的繆思》。這裡首先打開的是華文的近現代文學。我會看到《近代散文抄》，有晚明的白話文也收錄進去，突然之間知道了華文的另外一種傳承。還有看到一些當時不太明白的文學批評的書，如葉維廉的《現象．經驗．表現》。這裡有兩種文學，一種講的是華文現代文學，一種是通過《左手的繆思》和《現象．經驗．表現》這兩本書，裡面講了很多西洋文學的書。余光中《左手的繆思》裡面有一篇提及 Robert Frost（羅伯特．李．佛洛斯特），有一篇提及 T. S. Eliot（艾略特），有一篇提及莎士比亞（William Shakespeare），裡面有提及 E. E. Cummings，一個美國詩人，裡面還有提及現代畫，梵谷（Vincent van Gogh）、印象派（Impressionism）還有後印象派（Post-Impressionism），和畢卡索。這裡有兩道門打開了，兩種開蒙，華文文學和世界文學，剛剛講了有中史和歐史初步的感覺，這裡又多了兩樣。

另外有一種書也是在文藝書屋買到，都是臺灣書，如李敖的很多書，例如這一本《傳統下的獨白》。我找到殷海光的《中國文化的展望》，我當時為甚麼會買這麼厚的書，我也不明白，雖然未必看到很明白，但是裡面有提及很多後來我也繼續研究的東西。有香港作家參與編著費孝通寫作的文集。我找到金耀基的《從傳統到現代》。如果當時我們香港教科書沒有講到民國時期，但是你們只要拿到類似這樣的一本書，蔣夢麟的《西潮》，你自己就開始打開到民國的那道門。

所以只是在這幾年，特別是一九六九至七一年這三年，我知道了世界電影；我知道了華漢民族的歷史，知道了華文知識份子在討論的議題，裡面很多西方的思想和觀念；我知道華文的近現代文學；我開始注意到世界的近現代文學。我大學那幾年讀的社會學和政治學，只是強化我之前已經開始了的想法，之後的讀書亦有些再強化，或者是補充批評之前的想法。

但我想講的是，這幾種感覺其實不需要讀大學都可以取得，我只是作為一個同代香港人，不是我一個人，是很多人修讀預科，或者去一些書店找課外書看過，其實一樣拿到，是周圍都可以拿到的，只要你稍微主動去找，其實都可以找到，並不需要你真的去讀專科才可以接觸到。

我從電影開始，對電影那時候我是朝聖一樣去看的。從電影到書，我開始去找人生的意義，我之前講過很小時候就開始想這個問題。但是再看多些書之後，我就開始知道，我們要知道世界的條件是怎樣，即人間的條件，就是怎樣的社會是好的，怎樣的制度是比較有利的，這些問題全部都打開了。你們這個是網絡時代，你們找東西比我容易很多，只要稍微主動些，你們都可以找到很多東西，所以大家既要在同溫層找到身份認同，也要走出這個同溫層找到自己。其實這些東西都在，不需要在學校拿，但是你去學校再專注去進修，是可以強化很多東西。

我自己這一代的文化人，享有當時香港的文化場域，是很幸運的。我們見到好幾個文藝類型的復興，我看到的有四種：看到武俠小說的復興，看到報刊雜誌在香港的復興，看到粵語電影一路從盛到衰，然後在七〇年代的復興，我們又看到粵語流行曲在七〇年代的復興。而且我們看到很多新興的文類和媒體，同代人都分享到，例如電臺節目的興起，電視劇的興起，香港漫畫的興起，香港設計的興起。今日在香港的文藝場域，文藝復興基金會代表著一種獨立自主的精神，我們有很多獨立的文化東西可以看到，我覺得我每一次回到香港都沒有覺得白走一趟，因為太多新的東西：我們的獨立音樂、獨立劇場、獨立電影、獨立錄像、獨立紀錄片、獨立漫畫、獨立出版和獨立書店、獨立媒體及獨立的各種藝術團體，現代舞和小說、報導。

我們還有一樣東西，在我同代人是反應比較慢的，這個復興是潛伏和起起伏伏的，一直到近年才興起，就是政治和社會思想。這兩樣東西，我早就有興趣，但當時同代人沒有那麼有興趣。在環境轉變下的今天，大家到最後都開始對這兩件事情很有興趣。這可讓大家看到在不同的時代、不同的地域的確有限制，但亦有很多潛力。如果自己能夠自主些，其實現在全部都可以吸收到。開蒙是依靠自己的，開蒙是一個過程，不是一下就完結，而且開蒙有很多種類。希望大家多努力，因為我們現在又碰上了一個大時代，我們現在碰上甚麼時代？如果用美國獨立戰爭的 Thomas Paine 的名句就是「這是考驗人靈魂的時代」“These are the times that try men’s soul.” men 當然包括 women。七〇年代之前大陸之外的華文世界有句口號「時代考驗青年，青年創造時代」，其實到現在都很適合，我們香港青年經常都講時代選中了他們。我們每個都高度意識到我們與時代充滿矛盾，我們很想尋求啟發，尋求覺醒，這個時代很折磨青年，但年輕人有很多工具，有難得的機遇，他們是可以很快的跳躍式開蒙。

我引用兩個心理學家的講話結束這次的談話，一個就是人文心理學家羅洛梅（Rollo May）講的「人不會沒痛地成為完整的人」，另外一個是英國心理分析家 Adam Philips 說「要成為成熟的人有三種不可缺少的體驗，第一是要有討人厭的經驗，experience of being a nuisance ，第二是要有感到迷失的經驗，of getting lost，第三是一種處於無力的狀態，of being powerless」，這三種經驗都有助於成長，有助於人的成熟。以前有些評論家說，年輕人甚至成年人現在都好像巨嬰一樣，就是身體很巨大，但是心態上還是像嬰兒一樣。我覺得我們香港年輕一代不會這樣，他們會成長得很快，很容易就變成成熟的人。他們有很多非正常經驗，遇到了這個非正常的時代，同時他們是可以接觸到很多種文藝資源。

他們是最有資格成為香港下一代的文藝復興人。

我收到提問，文藝復興基金那邊的主辦方叫我回答一下。

第一個問題是：以前的人好像有很多機會去培養自己的文化根基，而這個年代好像很難有深厚的文化底蘊，那麼年輕人應該看甚麼書呢？

在前面的演講，其實我是故意講回我自己作為高中生、作為預科生、作為一年級大學生的那時候，我接觸到的電影、書和社會運動。我自己當然與我同代人有很多習性上的相同，我們的同代人是因為我們在香港所以有這樣的共同機會，因為如果相比於當時的大陸和臺灣，他們的機遇和我們完全不一樣。我們在香港的同代人其實當時已經可以擁有很多的文化資源，在香港文化場域裡面拿到很多東西，好像我讀預科的時候，我講了我可以看到中史和世界史一些面貌，我可以在香港的各種放映場所，看到世界的電影，這個已經讓我有很大的啟蒙，對文藝和政治都有啟蒙。然後在大學初期，我是在公開營業的書店裡面找到很多課外書，而這些課外書就令我對華文文學、對世界文學，對華文知識份子討論的議題，世界上的社會政治思想有了初步的認識。

這些都不是很難找得到，其實都在這裡，雖然不是每個人都會去找，因為每個人的習性和傾向不一樣，但是如果是我同代人稍微想找的話，都可以找到。我特意這樣講，是因為我想講我一點都不特別，我只是活在香港這裡，我就可以找到這樣的東西，可以變出來我自己後來新的興趣。

但同時我在講的是，現在這一代的資源比我們更豐富，因為現在香港這個同代的文化場域，裡面的資訊更多，而且你們現在有跨域的手段，就是可以在外面去拿你們要的東西。所以根本來說不是那麼難，只要你們有興趣，開始了之後去找，你們就可以培養到你們的文化底蘊。我講了有世界電影、歷史、華文和世界文學、華人和世界的政治思想。然後當時香港還有社會運動，我們是很被動遇到，首先就是一九六六年民生問題的騷動，一九六七年意識形態的衝突，然後在我高中預科的時候，就有中文成為法定語文的運動，是成功的一次社會運動。當時我已經知道大學裡面有珠海事件，以及大學民主運動。到我進入大學的時候，遇到保釣，然後沒多久就趕上反貪污。當我離開大學的時候，一九七四年的時候，香港已經成立廉政公署，那時候的廉政公署還強調說社會運動，特別是學生運動，影響了港府決定成立廉政公署。所以如果我們有注意，甚至有參與的話，我們的思路已經可以打得很開。裡面有民生問題、正義問題、意識形態問題、民族問題和反殖問題，這些其實都在裡面，其實機遇都給了我們，如果我在那個時候腦筋能清楚一點的話。現在這一代沒可能不會比我們更容易拿到這些感覺、知識、想法。

如果你問我，現在你這一代可以看甚麼書，我會說不如你先看下我那幾本書。雖然我的書僅僅可以幫大家開幾道門而已，你們開到門就可以自己去找書看，那為甚麼不去看我的那一本《我這一代香港人》，或者另外一本《事後》，那是一本講一九七〇年代香港文化的文集，我自己的經歷，在一九七〇年代碰到一些甚麼樣的文化。另外你不怕燒腦的話，可以看我《中國天朝主義與香港》。這些都有助於大家打開一些窗門去看看外面的事物，當然之後怎樣登高克服一些山嶺就要靠各自努力。

第二個問題問，你一直都關注中港臺不同文化發展，現在這個斷裂時代，華文文化怎樣彼此溝通、碰撞甚至隔絕敵視，你又有說現在是考驗青年的時代，你又怎樣看四地中港臺澳的青年？

這個問題很大，但是如果我用這個切入點去解釋，不知道大家會不會容易理解：

我曾經寫過一篇文章叫〈一種華文各自表述〉，講甚麼呢，其實是一個很巧妙的情況，我們四地大部分人都是用華文表達，這個華文是一種的，我們的源流都是同一，華文裡面有很多很多生僻的字我們現在很少用，我們現在用的可能是幾千個而已。四地都是共同使用的一種華文，跑不掉，怎樣寫都是寫華文。但是現在這個時候，正正就是四地華文最不同的時候，可能是有史以來最不同。以前就算是古代，地方怎樣隔絕，但是寫的華文是相同的，所以廣東人都可以中狀元，到京城考試都可以拿到好成績。不過現在的確是各自表述。我問你們現在有沒有人看過臺灣的小說，或者有沒有注意大陸有甚麼新的小說？大家都沒有注意，各自看自己，這個時候華文的差異是最大的。

不過，這也可以說是華文最昌盛的時候，那麼多不同的方法，大家都有各自的方法在寫作。如果我們不去看，四地之間一定隔閡，我們連同樣的語文都不會去看。我們想理解的話，我們必須要開始去看，但是這個看不是沒有障礙，不是容易去真的看懂另外一個地方的文字，雖然同樣是華文，也不一定是可以看得懂。這本來是需要訓練，本地大學的博雅教育就應該訓練大學生去看四地的文字，四地的華文，應該鼓勵大家去理解對方，因為甚麼叫作同理心，就是大家一定要進入對方的位置，再看回頭才會懂得，沒有懂得，何來慈悲？克服到自己，跨越障礙，開始看懂另外一個地方的文字，是一個開始。我是很鼓勵培養一種超級讀者的能力，尤其是我們的大學其實應是教育我們看懂四地華文的能力，培養超級讀者的出現，這可能是最能夠改變情況的，否則四地都各自講自己的東西，很難克服剛剛那位讀者所提及的問題。四地怎樣去對付這個考驗人的時代，這個問題太大，我就先這樣側面的回答。

第三條問題就問，現在香港所處的時代，有甚麼其他地方，是可以參考類比？

這也是個很複雜的問題，因為沒有歷史是完全重複的，也沒有一個地方與另外一個地方是完全相同的，但有很多類比是可以做的，好多借鏡是可以吸收的。

大家一定會想起新加坡，但是還有很多城市，與香港沒有直接掛鉤，但是可以幫助我們反省。

先講新加坡：很多人都希望，或者甚至有計劃地推動香港模仿新加坡式的操縱式民主和威權管治。有些人會說現在香港真的快新加坡化了。我們之前一直跟新加坡比較經濟，鬥來鬥去，但是有些人現在覺得可能新加坡式的管治比我們好。我也認為現在新加坡政體比香港好，因為我們本來的某些優勢沒有了。我覺得新加坡的管治是優勝於香港，因為新加坡是主權國家，他們的官僚是為了自己地方做事。他們的政府的認受性相對比香港高，因為他們在社會階層的限制貧富差異方面，做得比較好，雖然他們都有貧富差異，但是情況沒有香港嚴重，而且他們的房屋政策，他們公屋的普及和質量方面勝過香港。香港的管治現在我們都不知道是哪個梯隊在管，公公婆婆指手劃腳，權貴各通天庭，政出多門，所以新加坡的管治，香港都未必能夠學到，我會覺得可能我們只是次貨式的新加坡，想學新加坡，現在都未必學得來，只可能是新加坡管治模式的A貨。不過香港將變本加厲成為大陸企業向全世界吸資走資的中心，這是新加坡做不到的。

其實還有很多城市很多故事有參考價值，講一些大家可以去旅行的地方。譬如中世紀和文藝復興時期金融資本商貿航運中心的威尼斯。或布魯日（Bruges），現在在比利時境內，大航海時期曾是一個很重要的港口，這些現在是活博物館式的城市。漢堡又是另一個很重要的港口，它本來是一個城邦，一個獨立城市，是歐洲中世紀北方漢薩同盟（Hanseatic League）的其中一個商貿的城市，但後來十九世紀後期加入了德意志國家。納粹在德國上臺，因為發動戰爭，作為德國城市，整個漢堡給炸毀，給盟軍的飛機不選擇性投彈，將整個城市摧毀。但是二戰後漢堡重新建立，現在又是德國一個重要的港口城市。

另外，譬如去土耳其旅行，從伊斯坦堡往南走，在西部海邊，土國的第二或第三大城市，或第一大港口就是Izmir伊茲密爾。Izmir在一九二二年之前是奧斯曼帝國（Ottoman Empire）內的希臘人和阿美尼亞人的城市。一戰後奧斯曼帝國倒下，希臘就佔領了這個城市，因為希臘人在土耳其半島已經很久了，有五千年歷史，Izmir是地中海東邊最大的東正教希臘城市。一九二二年，凱末爾（Mustafa Kemal Atatürk）的土耳其民族主義者，攻入那裡，燒了當時希臘人與阿美尼亞人的城區，把五十萬人驅趕到海邊。當時海灣停滿了歐洲列強的軍艦，以中立為名，沒有援救難民，只有日本貨船願意犧牲些貨物救他們上船，還有一些美國傳教士組一些小船隊來救他們，撤退了約二十萬人。幾天裡撤退不到的人，被趕去土耳其東邊，大部分人在過程中死亡。從此這城變回土耳其人的城市。但是你現在再看，Izmir 又是土國一個很繁榮的港口城市。不過 Izmir 原來經歷過一個真的是完全的留地不留人的情況，很大的悲劇。

還有一個城市，曾經長時間是亞洲、東亞太平洋最重要的港口，不是在漢人集住的東亞大陸，是在現印尼的蘇門答臘南部，現在叫巨港，以前叫做三佛齊。從七世紀到十五世紀鄭和去的時候還在。七世紀八世紀的時候非常繁華，和印度洋做生意，和漢地大陸做生意。唐代名僧義淨去西域求經，就是從海路出發先經三佛齊。義淨在三佛齊住了六個月，然後寫了一本關於大唐高僧誰去過那裡的書，原來很多唐僧都去過。三佛齊本身是一個佛學中心，又是一個大港口，又是一個貿易勝地。這個城市，延續多個世紀，很厲害。當然七、八世紀還有伊斯蘭教徒過來。到後來三佛齊慢慢沒落，漢地的港口漳洲泉州廣州起來，然後西班牙人佔領了馬尼拉，荷蘭人佔領了現在雅加達，當時叫作Batavia，然後才有英國人在十九世紀建設的馬六甲、新加坡和香港。現在已經沒有甚麼人記得這個當年那麼厲害的城市，經過了那麼多個世紀。你講起亞洲有甚麼厲害的世界城市，三佛齊就曾經最厲害，但是現在沒有很多人知道。

另外一個很厲害的是阿瑜陀耶（Ayutthaya Kingdom），如果你有看泰劇就知道，阿瑜陀耶是到十九世紀一八六〇年代還在的大城市，當時華人叫它作大城。那個城市大的程度，十八世紀初最厲害的法國皇帝路易十四（Louis XIV）的使團來到也被嚇到。當時人口成百萬，大清國、日本、波斯那邊以及東印度公司都在這裡做生意。這個那麼厲害的城市，竟在一八六〇年代，在中國接近晚清的近現代，突然給旁邊的緬甸人入侵，屠殺居民又燒毀城市，整個城市消失了。然後阿瑜陀耶的人很多年後，在八十公里以南的地方建立了一個新的城市，叫作曼谷，如果有看泰劇感興趣，下次去曼谷是可以去看一些遺跡。我們都忘記了在一八六〇年代，在泰國有一個那麼大的城市存在，是西方人都有紀錄的亞洲的世界城市。

這些都有參考價值，而且全部都可以去旅行。Izumir，去土耳其就可以去旅行。去泰國曼谷的時候可以去阿瑜陀耶。如果你去峇里島，有興趣可特意飛去蘇門答臘巨港，雖然現在巨港可能沒甚麼遺跡。另外，漢堡是重新建設過的城市，布魯日和威尼斯，是活博物館，現在主要是旅遊點，雖然有一些轉口生意，但是經濟上遠沒有以前那麼重要。這些海港城市的起落興衰都有意思。任何一個這樣的城市，都可以啟發我們想一下，在長歷史中香港可以怎樣。

最後一條問題，現在香港的文藝環境你覺得有甚麼可以復興呢？

我講到說，我自己年輕的時候目擊了好幾個文藝類型在香港的復興，那麼今後有甚麼可以復興的呢？其實我覺得香港的文藝方方面面情況不是太差，每一樣都是有力量有人才，至於能不能復興，我就說不準，但是可不可以有一些亮點呢？我講一些我自己想到的亮點。我講三個亮點，全部都是猜想而已。

第一個是甚麼呢，最單純的，只要有一個作家寫出一本好的小說就可以。假如董啟章寫出一本小說變成世界文學，成為全球流轉的文本，這樣他就把香港帶上來了。我剛剛講的有名的港口城市，還有一個 Trieste（的里雅斯特），現在義大利最東北的一個城市。大家知道的 Illy 咖啡的總部就是在那裡，或者我們現在流行喝的義大利氣泡酒 Prosecco 產區就在那裡旁邊。有一個著名旅遊作家 Jan Morris（簡．莫里斯），曾寫一本叫《香港》的書，很多人談論，但是我覺得比不上她寫 Trieste 這個地方。Trieste 為甚麼神奇呢，因為她真的是兩個文明，兩個政體的交界。本來沒有義大利國家的存在，Trieste 是在奧匈帝國最南端的出海點，在二戰時期被法西斯和納粹佔領。然後一九四五年，東西方兩邊，一邊是盟軍特別是美軍，一邊是南斯拉夫的軍隊，搶著去那個交界位置，這個地方剛剛是角落的位置，就好像當年國軍未到香港，英軍搶著回來光復香港。這個地方就是因為盟軍先到，南斯拉夫軍隊還沒到，所以就成為現在義大利的一部分，否則就屬於南斯拉夫，現在的斯洛文尼亞。當時東西方冷戰第一個對接點就是這個地方。為甚麼我會講這個地方，還因為有個很重要的小說家，在一九一〇年代和二〇年代都曾住在的里雅斯特，他就是喬伊斯 Joyce，而 Joyce 出名的現代主義小說《尤利西斯》，其中裡面很多場景和人物其實是用 Trieste 的，他寫的是自己的家鄉都柏林，但是裡面妓院的描述，街道的描述其實是借 Trieste 這個地方的，因為他留在 Trieste 這麼久。這本小說那麼有名，跟這個的里雅斯特又那麼有關係，現在很多人講起喬伊斯，講起《尤利西斯》都會提及的里雅斯特。所以董啟章寫一本世界級小說，就可以帶我們香港出去。第一個亮點就是這樣。

第二個亮點就是，我們香港很多學者，有很多大專院校，排名都不錯，只需要有一些做出一點成績，有些思想的火花出來，或者又可以把香港的名字放在思想的地圖上面，作為一個亮點。又舉一個例子，漢堡在一九二六年有一個有錢的家族叫作 Warburg，成立了一間學院，他們之前已經成立了一個圖書館，再成立一所學院。從一九二六年到一九三三年納粹上臺，學院只有七年時間。Warburg 當時邀請了新康德學派（Neo-Kantianism）的卡西爾（Ernst Cassirer）這個學者做主持。卡西爾寫了一本中國後來都翻譯了的書叫《人論》（An Essay on Man），卡西爾最後一本書叫做《國家的神話》（The Myth of the State），是在納粹剛執政後寫的。卡西爾屬下有一位叫作 Panofsky 的學者，我做電影的時候就知道，因為他寫圖像學，研究影像，所以我知道他。你看，一所學院要有亮點，只需要兩三個有原創思想的人。到一九三三年納粹來了，Warburg 家族是猶太人，把學校搬去倫敦。後來還有些著名的主持如 Gombrich（貢布里希），就是寫《藝術的故事》

（The Story of Art）的學者。Warburg 學院在漢堡只有六七年時間，都可以留下成績，且不說大家耳熟能詳的法蘭克福學派或包豪斯學派。

香港一樣，如果有一個體制外的人捐一筆基金出來成立機構，然後請一些好的思想家來主持，幾年後可能都會有一些優秀的作品，令香港掛在世界思想地圖上面。譬如說找幾個最近離開大學體制但思想力度仍在巔峰的香港學者擔綱，不按大學排名的牌理出牌，誰說不能生產出思想的光芒？

另外我一直在想，最可能成為大的亮點的，即我覺得香港在美學和文化上，最能吸引世界注意的，就是如果我們可以推動出一種本土 cyberpunk 的文化，賽博朋克或者塞伯龐克文化。cyber 就是代表高科技電子世界，現在的年輕人很懂這技術、這世界，加上 punk 的況味。本來全世界就覺得香港是一個最有 cyberpunk feel 的城市，所以當時有名的電影《銀翼殺手》（Blade Runner）到後來其他作品，很多都是想像香港的場景。而 cyberpunk 其中一個經典就是 Akira（阿基拉）的動漫，香港人都很熟識的日本動漫。當然還有一些 cyberpunk 的小說，如一九八〇年代美國才出現的 Gibson 的《神經漫遊者》（Neuromancer）這些。

為甚麼我會說 cyberpunk 在香港可以是下一個生活和藝術潮流，因為 cyberpunk 除了是外表，還有內心。在一種苦悶的時代，一種不滿的時代，怎樣把內心表現在外表，在美學上服裝上時尚上？香港很多年輕人都早就有著這樣的一種底蘊。紋身、穿刺、染髮已經做了很久，這兩年抗爭和抗疫的裝備也很 cyberpunk，Mr Pizza 的網上小說也已經有本土 cyberpunk feel。最重要是內外結合的表現出一種賽博朋克形態，特別是一種 punk 的態度，我們沒有理由在一個沒有了小確幸的時代裡面，再講小清新。我們文化精英的創意沒有可能只依靠吃米其林和 omakase（廚師發辦），現在的 precariat 一代已沒有上流的機會了好嗎？我們不能只是去臺灣和日本旅行，或只停留在懷舊、傷逝。我們不要溫馴地進入良夜，我們要有進取的表現，要給同道知道我們有甚麼心情。我們當然要有些外在的表現，從外表造形上讓手足看到自己。既然很多方面不能表現，既在政治上表現不到，就在生活和藝術上表現，文化美藝上表現。當年外國人說香港很 cyberpunk 的時候，香港精英是沒有回應的，我這代的香港精英，覺得我們要穿時裝名牌，要跟上歐美潮流。問題就是歐美跟我們情況不同，心境不同，日本都不會這樣，臺北不會，上海不會，北京不會，深圳廣州也不會，只有香港的環境是像 cyberpunk 的環境。我覺得只要香港一開始捕捉到 cyberpunk 這種感覺，如果我們能展示一個本土賽博朋克風格，世界馬上對號入座，你們看，cyberpunk 的首都果然就是香港，這樣香港才能引領世界美藝潮流。那時候很多 cyberpunk 風格的文化藝術品和產業就會出來，從影像、音樂、服裝、髮型、化裝、街舞、設計、動漫到當代裝置藝術、行為藝術，到出版、報導、小說、學術全部都可以去發揮，甚至可以激勵空轉多年的高科技創意。我自己覺得我們香港年輕人的潮流應是 cyberpunk，這是最撚適合香港共同體現在 mood feel 的一樣東西。

又一個時代

作　　者｜陳冠中
責任編輯｜鄧小樺
執行編輯｜馮百駒
文字校對｜謝雪浩
封面設計及內文排版｜王舒玗
出　　版｜二〇四六出版／一八四一出版有限公司
印　　刷｜博客斯彩藝有限公司

二〇四六
社　　長｜沈旭暉
總 編 輯｜鄧小樺
地　　址｜臺北市民生東路三段 130 巷 5 弄 22 號 2 樓
電子信箱｜enquiry@2046.com
Facebook｜www.facebook.com/2046.press
Instagram｜@2046.press

初版二刷｜2023 年 5 月
定　　價｜380 台幣
I S B N｜978-626-97023-2-9

客服專線｜0800-221-029
法律顧問｜華洋法律事務所 蘇文生律師

國家圖書館出版品預行編目

又一個時代／陳冠中作．-- 初版．-- 臺北市：二〇四六出版，一八四一出版有限公司出版，2023.04
面；　公分
ISBN 978-626-97023-2-9(平裝)

1.CST: 言論集

078　　112003059